Thanks to all of you from all of
Nacka Youth Choir 1987

9-

Jessica Koupe

Anna Martensson

Malin Ljungström

Katarina Löfgren

Mania Eriksson

SWEDEN

THE LAND OF TODAY

SVERIGE

ETT LAND I TIDEN

Featuring the Photography of Will Curwen, Adrian Cowin & Nigel Dixon.
CLB 900/L.
© 1987 Illustrations and Text: Colour Library Books Ltd.,
   Guildford, Surrey, England.
Printed and bound in Barcelona, Spain by Cronion, S.A.
All rights reserved.
ISBN 0.86283.308.6.

SWEDEN
THE LAND OF TODAY

SVERIGE
ETT LAND I TIDEN

Text by
William Mead

COLOUR LIBRARY BOOKS

Once upon a time there was a Swedish boy called Nils Holgersson who, since the beginning of the century, was known to all of the schoolchildren in his country. Through Nils they learned about their homeland of Sweden (*Sverige* to them) because he had the good fortune to travel the length of the country – on the back of a goose. Nils was one of the characters created by the much-loved Swedish novelist Selma Lagerlöf, and the *Wonderful Adventures of Nils*, as the tale is called, enabled him to give a bird's-eye description of the big northern land of which, in his day, rather few Swedes saw very much. True enough, the railway had already linked south Sweden's Canaan – the grain-rich province of Skane – by means of 1500 kilometres of broad-gauge track to the frosty fells of Lapland; but most Swedes were not very well-off in those days, and those who had money for travelling went in search of winter sunshine. Through Nils Holgersson's flight of fancy they became armchair travellers in their home country.

Today, Sweden is a rich country. A network of domestic air lines, filled with Swedes on their manifold business and pleasure trips, spreads some 25,000 feet above the migrating wild geese. At such an altitude, even on a clear day, cabin windows only offer a two dimensional scene – a repetitious mosaic of grey-green forests, shining water, brown rocky outcrops, oases of farmland, with towns increasingly widely spaced as you journey northwards over this long land. For Sweden is the fourth largest country in Europe, much bigger than the United Kingdom.

Sweden is situated in high latitudes. As a result, winter is the longest season, with the grey and blue of most of the countryside being transformed into the white of snow and ice for months on end. And, because winter days are short – only a few hours of daylight at midwinter in north Sweden – a flight is likely to be by night. The Swedish poet, Per Lagerqvist, wrote of "the darkness that drinks the light". It must have seemed that way to most Swedes before the coming of electricity, which a few began to switch on about a century ago. Today, a flight by night reveals myriad pinpricks and criss-crossing ribbons of light, for now just about every Swedish home, however remote, has electricity. The stretches of utter darkness that become apparent as the aircraft flies northward to skies where the *aurora borealis* dances, impress on you the extent of the uninhabited areas.

The same northward flight in summer takes place in continuous daylight, because nearly a quarter of Sweden lies beyond the Arctic Circle and may see the midnight sun for several weeks on end. The seasonal rhythm of daylight and darkness, as well as of heat and cold, makes for striking contrasts between winter and summer in the people's work, play and attitudes.

A Dialogue between Land and Water

Descend to ground level and the repetitious landscape features as seen from the air now seem endlessly varied. Above all, it is in the interplay of land, water and woodland that Sweden's distinctive landscape lies. Off the long and intricate coastline, shared between the Baltic and the approaches to the North Sea, lie tens of thousands of islands of all shapes and sizes. In the west, the coast of the province of Bohuslän receives the full force of wind, wave and tide as they sweep in from the North Sea. Its granite islands are bald, grey, fringed with seaweed, rich in crustaceans and shellfish. Wind-trimmed vegetation matches huddled fishing villages. In the east, the approaches to Stockholm have one of the most extensive and elaborate archipelagoes in Europe. Save for its outer skerries it is wooded. It is often botanically rich, but is relatively poor in marine life. Northwards, the coast of the Gulf of Bothnia is slowly emerging from the sea. New islands and skerries, around which seals still sport, appear each century. The lakes have their own archipelagoes and, for good measure, Sweden also has two of the largest islands in the Baltic – Gotland and Öland.

Among no fewer than 90,000 lakes, Vänern, some 5,500 square kilometres in area, is the largest. It is located in the south-centre of the country, and is linked by a picturesque canal to a trio of other large lakes – Vättern, Mälaren and Hjalmaren. One of Sweden's most popular lakes is Siljan, which occupies part of a shallow limestone basin in the province of Dalarna. The northern two-thirds of Sweden rises gently from the Baltic coast through a foothill zone to mountainous heights along the Norwegian border. Here, a succession of long, narrow lakes, mostly fed by snow-melt and minor glaciers, drains by way of a series of parallel, swiftly-flowing rivers to the east. All of Sweden's rivers are characterised by waterfalls, rapids and torrents.

The dialogue between land and water also reflects the influence of rock structure and surface deposits. Most of Sweden is relatively low-lying and consists of old, hard rocks – a part of the so-called Fennoscandian Shield. The mountains folded on the western flanks of the shield were formed during a later geological period. South central Sweden, which embraces the great lakes, is much fractured and faulted. Older limestones give rise to distinctive landscapes in Gotland and Öland and, as if to show Sweden what Denmark looks like, most of the plains of the southernmost province of Skane have a bedrock of chalk. Finally, over most of the rocks is a mantle of clays of variable thickness derived from the retreating sea and the shrinking lakes, and of sandy stretches and boulder ridges which are the legacy of the Ice Age.

The Mantle of the Woodland

The natural vegetation of most of Sweden is coniferous forest – pine on the sandy and gravelly soils, spruce or Christmas trees on the moister lands, and a generous admixture of birch. Forest regeneration takes almost twice as long in the northern forests as it does in the milder south; a century or more to maturity in contrast to some sixty or seventy years. Southern timberlands can yield a harvest of pulpwood in the space of a generation. On cut-over land – or burnt-over land, for forest fires are a summer hazard – the birch and alder are the first colonisers. The birch adds lightness to the sombreness of the dark conifers. At higher altitudes and in higher latitudes it also forms a transitional zone between the thin pine stands and the open tundra with its lichens and shattered rocks.

Industrialists exploiting the manifold properties of softwood timber neglected the birch; but countryfolk have always appreciated its value. Birch bark was peeled for lining roofs and for plaiting into shoes, satchels and boxes. Timbers were split for shingling. Birch twigs were bound together for besoms, kitchen and bathhouse whisks. In time of grain shortage, the cortex beneath the bark was pulverised and mixed with flour to eke out supplies. The birch also has an aesthetic appeal. In springtime, its mouse-ear leaves are encouraged to sprout when twigs are brought indoors for Easter decorations.

The woodlands at large touch other senses. As the foliage of the birch bursts forth over hundreds of thousands of hectares, heated by the sun by day and chastened by low temperatures at night, it yields a distinctive scent. Conifers, heated by summer sun, exude powerful, resinous odours. In the autumn the woodlands yield a pleasantly damp scent of decay. And woodland sounds are an essential part of the Swedish countryside – the summer breezes singing in the pines; the autumn gales roaring in the sprucewoods.

While the climax vegetation of Sweden may be coniferous forest, relatively little of today's timber cover is natural. Most of the woodlands that cover about half of Sweden consist of tree crops for harvesting. Proverbially, the forest was the mantle of the poor, providing building materials, fuel, and light in the shape of pine torches. Locally, considerable areas were subject to burn-beating or swidden cultivation, while summer grazing by animals was an additional destructive practice. Simultaneously, the seemingly inexhaustible resource was exploited for charcoal, pitch, tar and turpentine. And, before these activities declined, get-rich-quick, nineteenth-century timber barons clear-cut and destroyed widespread stands.

Today, Sweden's forests are jealously regulated through scientific management. Seeds are carefully selected from the best trees, seedlings are planted, fertilised, thinned and trimmed; land is drained, stands are rotationally cut. In fact, so thoroughly have the woodlands been changed by man that conservationists have had difficulty in finding samples of original timber stands to preserve for posterity. The residual *urskog* or primeval woodlands, with their stag-headed trees, dead, dying and decaying timbers festooned with hairy lichens, moss-covered and fungoid, have become protected wildernesses.

For many, the lesser vegetation of the forests means more than the trees themselves. No child who has wandered in the summer sprucewoods will escape the stain of blueberries on fingers, lips and clothes. The housewife, plastic bucket in hand, finds more appeal in the dark-red lingon or whortleberry, the natural preservatives of which enable it to be kept throughout the winter and enjoyed as a relish with meat. Cranberry and cloudberry may be gathered from the boggier lands. In autumn, before they are touched by frosts, a score of different kinds of edible fungi (as well as a few poisonous ones) add colour to the woods and attract mushrooming expeditions.

As well as having an economic function, Swedish woodlands have had a spiritual role. In pagan times, supernatural qualities were ascribed to certain groves of trees. Indeed, with the coming of Christianity, mediaeval laws proscribed visits to such profane places. Woodlands have also been places of sanctuary. They have offered protection for those wishing to isolate themselves from society and for those wishing to escape the law. For more than one Swedish man of letters, the spruce woods are a part of the soul of his native land for which no olive grove, despite its sunnier setting, could ever compensate. It is in the woodlands that most of the ancestors of present-day Swedes pioneered their homesteads. Swedes remain very much men and women of the trees. The physical and mental refreshment of the present-day sport of orienteering springs from its forest setting. The autumn woods are the haunt of elk hunters. Nor is it surprising that wood as well as woodland should have inspired its own poetry –

Inside wood there ticks a clock
or perhaps a heart.
Wood is time,
Stratified like waves on a shore.

Artur Lundqvist's *Love of Wood* is an affection universally shared.

The forests of the southern third of Sweden are transitional between the coniferous forests of the north and the familiar oak and beechwoods of central Europe. Place names recall the formerly widespread distribution of oakwoods which were largely felled for shipbuilding – especially for naval vessels – and for constructional work.

Each type of countryside has its particular flora. In the springtime, the birch and spruce groves are first awakened by the blue *anemone hepatica*, which yields in turn to the white anemone, the lily-of-the-valley and the fragile pink flower, *linnea borealis*, which Linnaeus named after himself. The natural meadowlands offer the greatest diversity of flowers – including the protected fritillary. On the peatlands there are broad stretches of fluffy white bog cotton. In the high latitude fells, the crisp, grey reindeer moss yields to colourful lichens and a diminutive Alpine flora. The edges of the wasteland offer the wild strawberry and the wild raspberry. The lakes have their water lilies and water buttercups, with yellow irises around their margins and the tall rushes called *phragmites*, which serve a number of purposes for the farmer. Along the Baltic seaboard there are pioneering seashore plants. The island of Gotland boasts a distinctive blue flora, reproduced everywhere on tourist souvenirs – speedwell, pansy, forget-me-not, cornflower, chicory, vetch, *anemone pulsatila* and many others.

The woodlands remain the habitat of a range of wild animals – the fur-bearers – ermine, mink, fox (the two latter widely farmed), bear (still hunted a century ago, but now protected), wolverine and lynx and the occasional wolf. There are several kinds of deer. The imperturbable, loping elk is everywhere and is a major traffic hazard. An annual cull of some 100,000 is insufficient to keep numbers under control. The squirrel is ubiquitous, as much at home in the town as in the country and the lemming still swarms in the north. Birds – capercailzie, magpie, sparrow and a few others apart – are largely migratory: the seabirds (their skerry nesting grounds protected), the waders (crane, heron and the occasional stork), the swimmers (swans, geese and wild duck), the game birds, the swallows and swifts (thriving on clouds of midges and mosquitoes in the high north). Nor is the occasional eagle unknown.

The Character of the Farmsteads

Woodlands are complemented by trim farmlands which cover some seven per cent of the countryside. Most Swedish farmers – or *bönder*, as they call themselves – are owner-occupiers, and most are forest farmers, with the size of the forest holding increasing northwards. A small number of farmers combine fishing and farming. Animal husbandry dominates and ley farming is widespread, with silage production exceeding the hay harvest. Only in the remoter and more backward areas can the picturesque hay frames and harvest pikes be seen. Barley, oats and winter wheat lead among the cereals. Oil seed crops announce themselves with their vivid yellow flowers over the southern third of the country, while Skåne has sugar beet as a speciality. Yields of crops are about twice as high in the south as in the north of the country. Dairy products exceed domestic needs, and there have been restraints upon their production. Capital investment is high, not least because of the need to keep livestock, equipment and feeding stuffs under cover during the winter months. In the north, the outdoor grazing period may not be more than four or five months. Immense barns, sometimes three storeys high, characterise most farms. Tiled and clapboarded farmhouses, today built upon concrete basements, but formerly built upon a foundation of large boulders or granite blocks, are set in the informality of the kitchen garden's fruit trees and bushes. Roses, honeysuckle, phlox, peonies and tiger lilies crowd around the frequently covered porch or verandah. Yesterday's potato cellar and ice house often sit incongruously beside the tower of today's silo. Many farmhouses are still painted with the traditional Falun red – a preservative, near ox-blood in colour, which derives its name from the copper mine where it was first produced. Together with the less frequent yellow ochre and the occasional pastel washes, the colours add much to the attraction of the countryside.

Most Swedish farmsteads tend to be dispersed rather than nucleated in church villages. This is principally because of the land redistribution that occurred during the later eighteenth and early nineteenth centuries, when the open fields, with their scattered strips of cultivated land, were consolidated into unitary holdings. As in the other Nordic countries, farmers benefit from old-established agricultural cooperative organisations for wholesale purchasing (not least of equipment for the highly mechanised farming operations) as well as for marketing, processing, insurance and banking. Numbers employed in farming, with related forestry and fishing, only amount to about seven per cent of the Swedish work force, but productivity has never been higher.

The Urbanisation of Sweden

For two generations, most Swedes have lived and worked in towns, many of which, enjoying the amenities of woodland and water, are like the garden cities of other countries. About a third of Sweden's population of 8.4 millions live in and around the three biggest cities – Stockholm, Gothenburg and Malmö.

Stockholm, settled in the Middle Ages on a stockade island at the point where Lake Mälaren drains into the Baltic Sea, became Sweden's capital in 1436. Today, the 1.5 million inhabitants of its metropolitan area are spread over rather more than a score of islands. It is a city of bridges and waterfronts, with an intensive daily schedule of ferries to Finland and Åland, and a summer shuttle of steamers to its archipelago. It has a profile of Renaissance and contemporary spires and towers – one of the most distinctive being the neo-romantic 1920s city hall. Stockholm is generously provided with formal and informal parks, with residual pine, spruce and birch stands among four generations of apartment buildings. Metropolitan Stockholm, efficiently tied together with an underground railway system, has suburbs extending some twenty kilometres in all directions from its island core. 'Summer Stockholm' embraces thousands of leisure homes on thousands of islands on the seaward side of the city.

In contrast, Gothenburg, Sweden's largest port, on the breezy west coast and echoing with ships' sirens, extends along the tidal reaches of the deep Göta River. Dutch engineers helped its founders to construct canals as part of the seventeenth century system of fortifications. The Göta River is canalised for sea-going ships as far as Lake Vänern. Wharves and shipyards line its banks, and its estuary accommodates Scandinavia's largest container harbour. Some 250km south of Gothenburg is Sweden's third city, Malmö. It is an old Hanseatic settlement on the sandy shores of the Öresund, bound by a shuttle of ferries to Copenhagen, with fortress, administrative buildings and shipyards lying cheek by jowl.

South Sweden has a variety of coastal settlements. There are fishing ports such as Smögen and Fiskebäckskil amid the grey rocks of Bohuslän, which are taken over seasonally by summer yachts and holiday crowds. Bastad, Falsterbo and Ystad also offer idyllic holiday cottages and camping sites. There is Sweden's leading ferry port of Helsingborg, gateway to Denmark, which is not a little apprehensive about the possible construction of a bridge over the Öresund. There are exceptional settlements such as Karlskrona, a seventeenth century planned town which is Sweden's naval base and the haunt of inquisitive foreign submarines. Some tens of kilometres to the north is Kalmar, whose renaissance castle surveys a six-kilometre-long bridge which links the windmilled island of Öland to the mainland. Most memorable of all is the city of Visby on the island of Gotland. Here, some three kilometres of limestone walls enclose the remains of no fewer than sixteen churches and some attractive eighteenth century living quarters. It is a city of ruins and roses which seems to have been transported from the isles of Greece to this "northern Mediterranean".

The Bothnian coast of Sweden has a series of coastal towns with one common characteristic. All owe something of their livelihood to softwood timber processing, and almost all are situated on or near the estuary of a major river artery which opens up forested back country. Most were established in the seventeenth century and derived their original wealth from pitch, tar and ships' timbers. The monopoly of their trade was for some time held by the capital – hence Stockholm tar. Each has some distinguishing characteristic – be it the sheer size of softwood undertakings around Gävle and Sundsvall, the extensive university campus of Umeå, the state iron and steel plant of northerly Luleå, the picturesque, timber-built section of Örnsköldsvik, or the beautifully restored church precinct, with its converted stabling, at Lövänger.

Most of the towns of interior Sweden, a considerable number of which began as markets centred around a mediaeval church, have lacustrine or riverside settings. Representative of them are those distinguished by the suffix *köping* (which means a market) and which announce themselves all over the map of south Sweden – Falköping, Enköping, Jönköping, Lidköping, Norrköping, Nyköping. The concentration of metal-working settlements in the south-centre of Sweden known as Bergslagen is unique in Scandinavia. The oldest of the settlements dates from the Middle Ages. Most reached the peak of their importance during the 17th and 18th centuries, when Sweden was Europe's principal source of bar iron. They still remain a colourful group of communities. Some bear the names of the falls that provided their water power (Hällfors, Storfors, Degerfors): some, of their hammer ponds (Hall-stahammar, Surahammar). Some have lost their original functions, and have become almost museum settlements, containing the remains of early factories and forges, echoing caves and tunnels of deserted mines, and the mansions of the ironmasters often set in landscaped estates. But the charcoal pits no longer smoke and the teams of horses, bearded with icicles, no longer sledge ore, fuel and bar iron over the winter snow. Towns such as Ludvika, Fagersta, Avesta and Sandvikon retain something of their original activity, though they look to electricity as their source of energy, and may even import raw materials.

In some respects, the most remarkable town in Bergslagen is Falun, site of Europe's oldest and, at one time, largest coppermine. The great hole in the ground, from the galleries of which ore was mined for some six hundred years, is rimmed with the reds, ochres and yellows of the weathered tailings. The nearby museum speaks of a long history of technical and mechanical ingenuity, while its sheets of copper money, some as big as roofing tiles, tell of the wealth that the mine once yielded.

The Bergslagen settlements look to the shores of Lake Mälaren, where Örebro used to gather together their products for shipment to the control point of the iron trade in Stockholm. Time was, as the Swedish novelist Hjalmar Bergman put it, when you "could feel Mother Svea's pulse" in Örebro on a market day. The pulse is more accurately assessed by the neighbouring city of Västerås today. Its electrical and electronic plants a consequence of past enterprise and present innovation, are the epitome of modern Swedish industry.

It will soon be a century since the centre of iron production in Sweden shifted away from the towns of Bergslagen to the fells of Lapland. Here, the phosphoric ores, the exploitation of which came with the discovery of the Gilchrist Thomas process of smelting in the 1870s, account for Sweden's largest raw material output. As much as 20 million tonnes a year are transported to the rail terminals of Narvik and Luleå for export. The town at the centre of the operations is Kiruna, commanding the outlines of the iron ranges of Kirunavaara and Luossavaara and, more distantly, Kebnekaise, Sweden's loftiest mountain. Kiruna is located well within the Arctic Circle and, despite its sensitivity to world ore prices, has probably been the most successful of the world's high latitude mining communities. Kiruna is also one of the exceptions that prove the rule about Swedish towns being born of water.

There are others, but none more distinguished than the university cities of Uppsala and Lund. Uppsala, site of Sweden's archbishopric and of Scandinavia's oldest university, commanding the rich plains of the province of Uppland, is set beside the small river Fyris, today of little more than aesthetic consequence. From the Gothic-spired cathedral and the bulky, eighteenth-century castle, it is only several kilometres as the crow flies to the group of massive tumuli that identify Gamla (or old) Uppsala. Lund, whose university precinct is assembled round Scandinavia's most substantial Romanesque cathedral, has a Central European appearance. It is set in one of Sweden's most extensive arable areas, cultivated for centuries by the plough – and it has managed to succeed in life without any significant presence of rocks, water or coniferous forest.

Because it was the cheapest and most available material, most Swedish towns were formerly constructed of wood; stone being reserved for ecclesiastical, military and administrative buildings. Not surprisingly, fire has been a constant hazard. In the seventeenth century, reconstruction following a conflagration was already subject to a number of controls. Most commonly, a grid-iron pattern of streets and open spaces was imposed, with official buildings and residences on building plots of regulated size. Many Swedish towns still display the geometrical and somewhat repetitious results of this early planning legislation.

In Sweden, as in most of Scandinavia, a considerable number of settlements have grown up around a single factory or mine, at the same time serving a farming area. They are most common in Sweden's so-called 'forest communes'. Not infrequently they develop into problem settlements as the resource that gave rise to them is exhausted or changes its market value. Since they are usually distant from the main centres of population, they do not benefit from the 'green wave' that has been affecting Swedish cities over the last generation, with migration from the built-up areas beyond the suburbs to the rural retreat which the Americans call exurbia.

The Leisure Home

Given the spaciousness of Sweden and its low population density, its citizens have the possibility of spreading themselves. In winter, however, there is something to be said for huddling together.

During the brief summer, with its long, bright days, there is a widespread urge to escape from the town. As a result, Sweden has fully 300,000 leisure homes and their number is multiplying fast. A leisure home may be a large, gently decaying villa, ornate with fretwork, follies and verandahs – fit setting for a nostalgic, Ingmar Bergman film – or a sleek, modern, pre-fabricated structure. It may be a restored, formerly abandoned farmhouse, or a modest shack which just about reaches planning requirements. Many farmers build summer residences for let. Again, a waterside setting is favoured, with the result that legislative controls on development have become increasingly strict. Concentrations of summer residences, without adequate water supply and sewage facilities, threaten to pollute lakes and rivers.

After the physical restraints of winter, the summer residence offers compensating liberty. Dress is minimal. Shoes are cast off, not least for the pleasure of feeling the different kinds of vegetation and soil under the soles of the feet. The fishing rod is fetched out, and the nets are set. Luck may bring a salmon, or at least a lavaret. Pike are trapped, and crayfish are sought for August parties. Such a life is a retreat into the past. Children live the life of their ancestors in the forest. For adults there seems to be an almost masochistic urge to reject temporarily the material comforts of urban existence, and to adopt a slower pace of life. At the same time, a leisure home, which is available to most families, implies mobility. Many such homes would be largely inaccessible without Sweden's three million automobiles and the hundreds of thousands of leisure boats. They would also be less desirable were not the cocoon of security in respect of health services so readily available.

Leisure homes may be winterised, especially those in the solitudes of the interior and the northern uplands. Here, they also meet the needs of autumn hunters and winter skiers. But, again, accessibility for motor transport is essential. Snow plough and snow blower keep open highway, byway, and runway. The snowmobile operates on winter routes, and even the Lapp has his skidoo.

Problems of the Northland

The affluence that these facilities suggest is widespread, but not universal. Sweden has an uneven distribution of population, of resources, of investment and of income and, generally speaking, it is the northern third – perhaps even half – of the country that suffers on most scores. The situation is inseparable from what has been called the discipline of distance. Sweden at large is distant from the markets of western Europe: northern Sweden suffers the consequences of even greater remoteness. Above all, distance results in higher transport costs both for exports and imports. At the same time, living costs are greater in the north than in the south principally because of the climatic circumstances. Snow may lie on the ground for six months, temperatures may remain below zero for weeks on end, and ice may close some of the Bothnian ports. The costs of heating, of building, of clothing and of vehicle maintenance that are imposed by the longer duration of winter levy additional taxes on the individual, the community and the manufacturing enterprise.

Given the Swedish policy of social and economic security, it is natural that attempts are made to compensate for the remoteness and the climatic circumstances of the north land. For this purpose, Sweden is divided into a number of support regions, with assistance and subsidisation calculated according to the degree of hardship in each. Thus, rail transport is subsidised in order to harmonise the purchase and sale prices of many commodities between the south and the north. Long distance telephone calls to and from the north have special rates. Employees in government service, who constitute over a third of the total Swedish labour force, and who may account for the majority of those employed in some Norrland communities, are compensated for some of the extra costs encountered in daily living. Again, northern Sweden suffers more than the south from seasonal unemployment and underemployment. As a result, efforts have been made to promote manufacturing activity. An outstanding example is provided by investment in a state-owned iron and steel plant at the port of Luleå and the assistance given to a group of associated metallurgical industries. The education industry has also helped development. The university at Umeå probably accounts for the employment of about a quarter of the total population of the city. Tourism assists, but the summer season is short and employment opportunities are in any case best at the time when holiday traffic reaches its peak. Winter sports bring only a limited income to the high fells in February and March.

It is understandable that people should tend to move away from the underprivileged to seemingly more privileged areas. The drift from the countryside to the towns, long past in the south, continues in north

Sweden. There is also a migration from the towns of the north to those of the south, though its effect on population numbers in the north is partly offset by the fact that the birth-rate remains higher in the north. However, over extensive areas of Norrland, population migration is such that many communities are experiencing noticeable farm and land abandonment, and an increase in the proportion of elderly and retired citizenry as a result of the movement of the younger and more enterprising elements.

Such a situation adds to the difficulties of local administration and provision of amenities. Today, it is estimated that the minimum number of inhabitants required to support a school complex, an old people's home, a medical centre, a post office, appropriate banks and stores is about 8-9,000. The difficulties are exaggerated when the population is scattered. Mobile services, from stores and libraries to dental and medical clinics, may achieve economies, but the social fabric suffers when these institutions no longer have fixed premises.

The people of Norrland in general, and of Norrbotten in particular, have evolved their own attitudes to the south. 'Sweden lay far away and was in fact another land', wrote the Norrbotten author Eyvind Johnson as he recalled his youth in the early twentieth century. The northerners cannot be independent of the south, and they resent what they regard as exploitation of their resources by southern industrialists and administrators. Resentment is expressed in radical attitudes and a relatively high communist vote. At the same time, religious circles are characterised by a strong pietist element which contrasts with the relaxed evangelical Lutheran spirit that prevails over most of the country.

The north country has another distinguishing feature. Jointly with adjacent parts of Norway and Finland, it is a territory of ethnographic diversity. The Lapps, who were the original inhabitants of north Sweden, number some 15,000, but in all respects make a disproportionate impact. Most of the *Samer*, as they call themselves, are permanently settled on farm holdings, but a minority continues to pursue the traditional way of life in reindeer husbandry. Their colourful costumes may suggest that they are a quaint relic from the past, but they have an increasingly strong ethnic sense and have acquired a political voice. In Jokkmokk, they have their own cultural centre, with a high school and museum. Their herds of some 275,000 reindeer may add to the *fantasia arctica*, but they have to be viewed practically as well as romantically. The annual slaughter provides a substantial income in the shape of processed meat, skins and horn. At the same time, the problem of grazing capacity, leading to trespass, makes for continuous friction between reindeer owner, farmer and forester. Contrastingly, the development of Norrbotten through rail, road and hydro-electric power installations has been at the expense of traditional grazing lands and migration routes.

North Sweden faces a second ethnographic issue. The border lands with Finland along the Torne valley have always had a substantial Finnish-speaking population. The opening up of forestry in north Sweden and of iron mining in Norrbotten attracted considerable numbers of immigrant Finns. With the establishment of a common labour market between the countries of Norden, the inflow of Finns increased. At one time, in the mid 1970s, Sweden had some 300,000 Finns resident within its borders, the largest of its many minority groups. As with the Lapps, the Finns have sought minority rights, especially in their use of Finnish for educational purposes.

Sweden's north country remains very much frontier land. It is an extensive, thinly peopled, almost semi-colonial territory of primary production. It is a kind of Jack London country, a land of adventure – and often of adventures. The Prospectors, surveyors and engineers are there; Conservationists are there keeping an eye on them; and exploration societies revel in it. The frontier of settlement ebbs and flows across it in response to the changing values of its resourses. Nor can it be forgotten that the province of Norrbotten is frontier country in a political sense. Today, movement across its boundary rivers is unrestricted – a network of marriages links Swedish and Finnish families on either bank. Nevertheless, the whole of north-eastern Norrbotten contains extensive closed military areas. Before the First World War, a major military outpost was established at Boden: during the Second World War, the north was under the threat of invasion.

Sweden balances the past and the future in its north country. Visually, it displays much that recalls the Sweden of yesterday: resource-wise it is difficult to deny that it is a territory with a future. Yet the future is unpredictable because of the changing nature of Sweden's wealth-producing activities. Paradoxically, they depend less upon indigenous raw materials than they did a generation – let alone two generations – ago. Ironically, the primary producing inhabitants of the north country are heavily supported by the service sector of the economy, for contemporary Sweden derives much from the services as well as the goods that it sells to the world.

The Technological Transformation

Sweden was late in undergoing its industrial revolution, partly because it lacked coal at a time when coal was the principal industrial fuel. It was also a country somewhat reluctant to import foreign capital upon which to build new enterprises. Contrastingly, it bred a remarkable company of inventors who contributed to the country's industrial emergence, and who left their mark on the world.

The inventors included Gustaf de Laval, who produced the original cream separator and early versions of the milking machine, and Alfred Nobel, inventor of the dynamite that was critical for mining and constructional operations in the hard rocks of Sweden. L.M. Ericsson produced the telephone in Sweden at about the same time as Alexander Bell did so in Canada; Husqvarna conceived a sewing machine to rival Singer; S.K.F. inventors perfected the vital ball-bearing industry and Dalén invented automatic lighthouses (a boon to the Nordic countries with their extended and hazardous coasts). Sweden had an almost world-wide match monopoly before the crash of the Kreuger empire in the 1930s. Innovative improvements have been no less important, especially in the field of long-distance electrical transmission. It is difficult to explain this concentration of activity. The Swedish aphorism that poverty encourages ingenuity – usually referring specifically to the province of Småland – hardly applies to the inventors themselves. Sweden's early adoption of the German model of higher technical education may have played a part; but education alone cannot account for the fact that Sweden is one of the three leading countries in the world in the number of patents registered annually.

In no field has development been more striking than in transport. Swedish State Railways were among the first in Europe to be completely electrified, and Sweden was one of the first countries to have a national electricity grid. It was natural that the production of rolling stock, of an electrical components industry and of electro-metallurgy should follow. But the impressive development of the automobile industry is less easy to explain. Within the span of a generation, Sweden has captured a world market in heavy goods vehicles and buses, as well as in passenger cars. As an extension of the automobile industry, Sweden also entered the field of aircraft production, though for military rather than civil reasons. Meanwhile, marine transport claimed equal attention for, as with the other Nordic countries, sea-going is a traditional part of Swedish life. The expertise gained in the many small shipyards that built the fishing craft and wooden-hulled, cooperatively-owned sailing ships contributed much to the rise of a modern ship-building industry: so, too, did the production of specialised steels. Large-scale shipbuilding was concentrated on the west coast, especially at Gothenburg, Malmö and Uddevalla. For a brief period, Swedish shipbuilding claimed world attention, especially in respect of its labour relations; but it has suffered from the decline in world trade following the oil crisis. Uddevalla's yards are closed, and Malmö's have largely ceased operation.

Of all Swedish industries, those based upon timber are most widely distributed. They announce themselves throughout the country by their waterside locations, their tall chimneys with plumes of white smoke, and the powerful odour emitted by the sulphite process. Generally speaking, softwood plants are major complexes yielding a variety of products. Paper and pulp, deals and wallboards are simply raw materials for an ever-increasing range of goods. Nor can by-producers be ignored. Chemicals above all constitute a major branch of Swedish industry.

Design and quality in consumer goods were clearly evident in the inter-war years. Glass was brought to the attention of the world through success at international exhibitions. A particular Swedish style, variant upon Scandinavian themes, emerged in household products, from furniture, through textiles, ceramics, cutlery and tableware to kitchen products. Clothing followed, the Swedes having pioneered leatherwear in response to their winter needs and as a result of the abundance of elk and reindeer skins. And the word *smörgåsbord* came in with the household goods, introducing the range of Swedish delicatessen and crispbreads that characterises the cold table.

The Swedish market is relatively small, and the economies of scale in industry can only be achieved by exporting. Some major firms, such as the telephone systems company Ericsson, export well over 90 per cent of their products. Other firms have diversified their activities to spread their sales more widely. Thus, the hydraulics firm of Atlas Copco lists 3,000 different products and services. At the same time as Swedish industry has expanded and diversified at home, it has established daughter plants abroad. Most major Swedish industries now have a world-wide distribution of branches, especially those in the field of engineering and electronics. Banking, insurance and consultancy firms have similarly established overseas offices. As a result, the number of Swedes resident in some foreign cities is as large as the population of some of Sweden's home towns. The profits derived from their overseas plants by a number of leading Swedish companies exceeds those from the home plant. Sweden has also been highly successful in selling, assembling and providing operational instruction for entire production units. They range from paper and pulp plants to hydro-electric power stations, from mineral refining units to telephone systems, from bridges and airfields to educational institutions and hospitals. In the neighbourhood of Moscow, Swedes have constructed the world's largest dairy.

As a result of all this enterprise, it is not surprising that Sweden's per capita income is among the highest in the world. Given this solid economic foundation, it has also been able to establish and maintain one of the world's most complete systems of social security. But maintenance of the standards of achievement causes growing concern, not least because of the problem of energy.

Time was when Sweden rejoiced in abundant, cheap energy from its water power. But, in the inter-war years, demand was already growing to the extent that future shortages were anticipated, and water power rights across the Norwegian border were negotiated by the city of Stockholm. Today, most of Sweden's hydro-electric resources have been harnessed, and those that remain untapped are the cause of controversy between conservationists and developers. In the post-war years, Sweden became heavily dependent upon cheap imported Middle East oil, with half of its merchant fleet consisting of tankers. Unlike Norway, it lacks domestic oil resources, with only a little oil shale and possible prospects of limited supplies off its coast. The problem of energy deficiency is heightened because of the widespread opposition to nuclear power. Sweden has twelve reactors, but, following a referendum, it has been agreed to phase them out by 2010 A.D. Despite active programmes to conserve energy, it is evident that the Swedish economy will continue to be strained by the relatively high price of fuel.

National Romanticism

At the same time as Sweden has advanced economically and experimented socially, it has become increasingly interested in its past – a past full of contrasting experiences. In Sweden's present-day landscape there is an abundant legacy from earlier times, though it is less concentrated than in more populous lands. Earliest among the features are the Stone Age rock drawings – of boats, hunters, animalistic prey, spirals and labyrinths. There are familiar tumuli, and unfamiliar ship-shaped burial sites outlined by boulders. There are hundreds of rune stones, memorials erected to Varangians – or Vikings – who, for the most part journeyed east rather than west. Their adventures are racily fictionalised by Frans G. Bengtsson in his novel *Long Ships*. From the very names on signposts it is possible to piece together the story of the occupation and development of the land, for the scientific study of place names was pioneered by a Swedish philologist. South Sweden is rich in mediaeval churches, some of them partly fortified, some with finely restored wall paintings. It is also sprinkled with the ruins of religious houses, some founded in the name of Sweden's special saint, Birgitta. To the Middle Ages also belong the hoards of gold and silver coins, stamped with the heads of Old World monarchs, emperors and caliphs who ruled before the Swedish state existed, which have been recovered from Gotland.

After the Reformation, Sweden rose to become a European power, with complete control over the Baltic Sea. In the seventeenth century, it was the leader of Protestant armies on the continent, its king Gustavus II rejoicing in the title 'The lion of the north'. Formidable castles, such as Gripsholm on the peaceful waters of Lake Mälaren or Baroque Kalmar and pleasure palaces such as Läckö, recall the age of greatness. Loot from the Thirty Years War, glass-cased in Stockholm, sparkles as in an Aladdin's cave. The ill-fated warship *Vasa*, which turned turtle on putting to sea some three hundred years ago, has been lifted from the water and is displayed in all its glory. Even after the defeat at Poltava by the Russians of the adventurous Charles XII, hero of a history by Voltaire, Sweden retained a leading, though different, position in Europe. The Age of Enlightenment witnessed the establishment of an Academy of Sciences graced by men of such genius as Linnaeus, Celsius and Polhem, who was sometimes called the da Vinci of the north. The military organisation of the seventeenth century yielded to a spirit of scientific enquiry. Among other initiatives, Sweden set in motion the world's first modern census in 1750. And, while Gustavus III brought cultural life to a high peak at the summer palace of Drottningholm (Sweden's counterpart to Versailles), the taverns of Stockholm echoed with the songs of Bellman, a latter-day troubadour whose airs are familiar throughout Sweden to this day.

Between the monuments from Sweden's past and the comfortable living quarters of the present, the poverty and privation of much of nineteenth century Sweden, when the country became a poor relation in the family of European nations, tends to be overlooked. The shacks of the landless rural proletariat, and the rough barracks built to accommodate migrant industrial workers beside the money-making timber mills, have disappeared. But the lot of Sweden's poor was the spur to Vilhelm Moberg's epic work, *The Emigrants*, which epitomises the experiences of a full million Swedes who sought a new life in the New World. Ironically, two of the provinces that contributed most abundantly to the stream of emigrants, Värmland (home of the creator of Nils Holgersson) and the 'wooden shoe country' of Småland, have become two of the most appealing tourist areas, while rocky Bohuslän, described in the nineteenth century as 'one great poorhouse', is a summer holiday haven.

An appraisal of Sweden's past, warts and all, owes much to its museums. While August Strindberg was reinterpreting the succession of Swedish monarchs through his historical dramas, Arthur Hazelius was conceiving a new kind of museum at the grass roots level. Skansen, as his creation was called, was located on one of the inner islands of Stockholm, Djurjarden. It was founded in 1891 as the first of a new type of open air museum. To it were brought representative dwellings and workshops of different ages and localities. They were furnished, equipped and decorated in the style of their periods, and brought to life by craftsmen taking to their forges, mills, workbenches or glass moulds, with womenfolk (rather less self-conscious than the men in their folk dress) taking to their spinning wheels, looms or the making of lace pillows. Skansen has been copied in all parts of Sweden, independently of the establishment of a range of museums specific to particular enterprises or pursuits – the match museum at Jönköping, the House of the Emigrants at Växjö, the forestry museum at Sundsvall, the silver mining museum in remote Arjeplog.

The endowments of some areas have made them virtual folk museums in their own right. Lake Siljan and its inhabitants were already immortalised in the vivid canvases of Anders Zorn a century ago; but it was not long before picturesque hotels were built for Swedes who wished to visit his territory. The local arts and crafts also exerted an attraction – clocks with their richly painted cases, wood-carvings (above all the blue, red and orange Dalarna horses) and weaving, all bearing distinctive decorative motifs. The pinkish-grey limestone, rich in fossils, was to be admired in polished floors, around lintels and on tombstones. Churchyards also contained memorials which testified to the blacksmith's art as well as to the deceased who were identified by profession as well as by name, as are their descendants in contemporary telephone catalogues.

In summer the churchboat, with its team of costumed rowers, still plies the lake at Leksand or Rättvik; the decorated midsummer pole is still raised; fiddle and concertina still play for folk dances. Nor is winter without a climax. On the first Sunday in March, thousands of skiers assemble in Mora to repeat the epic run (or at least part of it) made by King Gustavus Vasa rather more than four hundred years ago.

There are other ceremonies which recall the past. Some surround the monarchy, with coaches, horses and mounted guards being fetched out as occasion demands. In the vaulted cellars of Stockholm castle, there is a theatrical display of royal costumes and mementoes – and a coffee room where special cakes are eaten on the November day that commemorates the seventeenth century hero King Gustavus Adolphus. A more cheerful celebration (though the weather may be bleak) is the ritè of spring enjoyed by students on Walpurgis Eve, the night before the public holiday of May 1st. More formal university ceremonies call for white ties and tail suits – with top hats for the women, as well as the men, who hold doctor's degrees. The grandest ceremony of all is reserved for the annual Nobel Prize gathering.

A Concern for Conservation

Commemoration of the past is accompanied by a concern for the conservation of nature. In some areas this has deep roots. In the eighteenth century, Swedish administrators were disturbed at the inroads being made upon the woodlands, and sought to restrain destructive practices such as burning-over the land for crop cultivation. Conservation of areas of outstanding scenic value was initiated before the First World War, not least through the influence of the well-established Swedish Tourist Board. Six of Sweden's nineteen national parks were in being by 1909, including two in the northern highlands which remain among the largest in Europe. Today, there are more than a thousand nature reserves. They range from distinctive peatland habitats to representative hazel and oak groves along the Baltic shore (some of which Linnaeus regarded as finer than noblemen's parks). There are also some 450 wildlife protection areas, not least the numerous breeding grounds of seabirds in the skerries. In order to control the development of coastal areas, the Swedish littoral has been divided into three types of zone – those which are already industrialised and where additional manufacturing plants may be located; those where industrial development is prohibited, and those areas where the economic and social needs of the inhabitants are sufficiently pressing for industrial development to take precedence over conservation.

Pollutants cause much concern. Sensitivity is registered by the introductory tables of Sweden's statistical yearbook, with their lists of chemicals and pesticides applied by type and area, the degree of emission of pollutants in particular cities, and the distribution of oil spillages. Swedish forests and lakes are also seriously affected by acid rain, which probably derives in equal quantities from east and west European sources. Sweden aims to reduce its own sulphur emissions by the installation of improved, Swedish-designed equipment at all of its thermal power stations (stations which will increase in number in the future) and to reduce automobile fumes. As for nuclear energy, uranium may no longer be mined in Sweden, while the export of reactors and reactor technology has been discontinued.

While pollution of Sweden's lakes and rivers can be constrained by legislation, pollution of the international waters of the Baltic Sea is only subject to nominal control. As a non-tidal, inland sea of low salinity with some of its shores heavily industrialised, the Baltic could easily become northern Europe's dead sea. Sweden plays a leading role in supporting the permanent international research body that monitors its waters.

The Search for Security

Life in Sweden has been, and remains, a continuing search for security – security in three areas. First, there has been the pursuit of security of life and limb. A century ago, much of rural Sweden was still afflicted by the threat of famine, while the expanding cities were acquiring an industrial proletariat, many of whom lived in poverty. Technological developments have replaced poverty with affluence; deficiency with surfeit. The hazards of living on the northern frontiers of settlement in Europe – let alone within the confines of the Arctic Circle – can never be eliminated; but they can be offset. Health and welfare legislation have guaranteed personal security, and to a large extent evened out the disparities that exist between those who work in different parts of the country. It is doubtful if the benefits derived from the social security programme are surpassed anywhere in the world.

In the second place, there has been a steadily expanding mixed economy on which social security reposes. Policy has been directed towards a middle way between state-led and privately operated industry in which employee participation is a distinguishing feature.

Thirdly, there has been a concern for international security and this has been sought by adopting a policy of neutrality in world affairs. Sweden has not been involved in a war since 1808-9, when it lost the Grand Duchy of Finland to imperial Russia. Its frontier with Norway, eventually mapped along the mountainous divide in the 1750s, has proved one of the two most stable in Europe. It has no overseas possessions, the colonies on the Delaware having been absorbed by the

British at the end of the seventeenth century. It has no territorial ambitions, nor has it agitated for an extension of its territorial waters. It seeks to maintain northern Europe as a low tension area in international politics.

Nevertheless, its neutrality is well-armed. No trumpets and drums announce the fact the Sweden has a defensive air force second to none in Europe and that it can call upon a large reserve army based upon male conscription. The name Bofors alone suggests an efficient and effective back-up of armaments. Superficially, there is no evidence of strong national feeling in Sweden, yet the blue-and-gold flag stands for an independent and determined spirit.

Her Nordic neighbours are important to Sweden, and Swedish security is strongest when they are most harmonious. Although it is a small power in an international context, Sweden is the largest of the five Nordic countries. The five are more closely integrated into a community than any other group of sovereign states in the world. Out of the deliberations of the Nordic Council, which was established in 1952, has sprung much common legislation which has been to the advantage of all. Perhaps most important is the fact that the five countries constitute a common passport area and a common labour market. As the wealthiest and most centrally located, Sweden has tended to receive the maximum number of immigrants from its neighbours. Indeed, thanks to a generous immigration policy, about one in ten Swedes is either an immigrant or has been born of immigrant parents.

Through its neutral stance, Sweden is able to maintain an independent line among neighbours who have different allegiances. To the west, Norway, Denmark and Iceland belong to N.A.T.O. To the east, Finland has a Treaty of Friendship and Understanding with the U.S.S.R. All five are members of E.F.T.A., which had its origin in Stockholm a generation ago; but Denmark is a member of the E.E.C. and Finland has a special relationship with Comecon.

Today, there is a fourth dimension to Sweden's search for security – the economic and social security of others. Sweden devotes a greater proportion of its gross national product to helping the insecure and improverished parts of the world than almost any other country. What is more, its contributions to international aid and to the maintenance of international order are the more acceptable because of its neutrality in the political arena and its independent attitudes to world power groupings.

In the final place, there can only be degrees of security, and all attempts to reduce old hazards and uncertainties will be accompanied by new risks. Since the days of Nils Holgersson, Swedes have triumphed over the limitations of their natural environment by the rational application of technical facilities, and they have established one of the highest standards of living in the world by striking an effective if controversial balance between the public and private sectors of the economy. If Swedes have not found the formula for guaranteeing the greatest happiness of the greatest number, they have taken at least one step in the right direction by discovering the circumstances that make for the greatest longevity of the greatest number. And most outside observers would agree that, given the size, setting and population of their country, they have come as near to creating a model social and economic system as is likely to be possible.

En resa i fantasin

Det var en gång en svensk pojke som hette Nils Holgersson. Ända från seklets början har alla svenska skolbarn fått följa honom på hans färd genom Sverige på gåskarlens rygg.

Nils är en sagofigur, skapad av den välkända författarinnan Selma Lagerlöf. I hennes bok *Nils Holgerssons underbara resa genom Sverige* får pojken Nils chansen att se hela Sveriges land. En möjlighet som ganska få svenskar hade vid seklets början. Visserligen förband järnvägen redan då, Sveriges örtagård – det bördiga landskapet Skåne – med Lapplands frostiga fjäll. Men Sverige var på den tiden ett fattigt land och de som hade råd att resa for söder ut på vintern i jakt på solsken.

Idag är Sverige ett rikt land. Inrikesflygets täta turer, fyllda med svenskar på affärs- eller nöjesresa, flyger tiotusen meter över flyttfåglarna. En klar dag kan man från luften se ett lapptäcke av grågröna skogar, blanka vattendrag, brun barrmark och gula åkrar och däremellan städer och byar, de senare alltmer sällsynta ju längre norrut man reser i detta långsträckta land. Sverige är i storleksordning Europas fjärde land.

Sverige är beläget på de norra breddgraderna och vintern är därför den längsta årstiden. Månader i sträck är landet täckt av snö och is. Vinterdagarna är korta – under midvintern har man endast ett par timmars dagsljus i norr – en flygtur sker då oftast i mörker. Den svenske poeten Per Lagerkvist skrev om "natten som dricker ljuset". Så har säkert många svenskar upplevt vintern innan elektriciteten uppfanns.

En flygtur i mörkret röjer idag oräkneliga nålsögon och korsande band av ljus, för vartenda svenskt hem, om än så avlägset, har elektriskt ljus. Då planet flyger norrut berättar områden av svartaste mörker, där norrskenet dansar, om stora obebodda trakter.

Flyger man samma väg på sommaren får man uppleva en dag utan slut – en fjärdedel av Sverige är beläget norr om Polcirkeln – och kan sommartid njuta av midnattsolen under flera veckor.

Årstidernas rytm av ljus och mörker, av värme och kyla, den stora kontrasten mellan vinter och sommar, påverkar inställningen till arbete och lek.

Samspelet land och vatten

Återvänder man till marken visar sig det från luften enformiga landskapet vara oändligt skiftande. Det som framförallt utmärker det svenska landskapet är växlingen mellan land, vatten och skog.

De långa, slingrande kuststräckorna längs Östersjön och Nordsjön omfattar också tusentals öar i varierande storlekar. Från Nordsjön sveper vind och vågor med full kraft mot Bohusläns kust. Dess kala skär av grå granit, kantade av sjögräs, omges av en rikedom av musslor och skaldjur. De små hopkrupna fiskebyarna stämmer väl överens med de vindpinade träden.

I öster förebådas Stockholms inlopp av en vidsträckt skärgård, en av de största i Europa. Den är, med undantag av de yttersta skären, skogsbevuxen. Här är floran rik till skillnad från den relativt magra marina faunan. Norrut reser sig Bottenvikens kust långsamt ur havet. Varje århundrade dyker nya öar och skär upp ur havet och runt dessa leker fortfarande sälarna. Dessutom hör Östersjöns två största öar – Öland och Gotland – också till Sverige.

Bland Sveriges inte mindre än nittiotusen sjöar, är Vänern den största (5 500 km² till ytan). Den är belägen i landets södra del och förbinder, medelst kanaler, Östersjön med Nordsjön.

En av Sveriges mest kända sjöar är Siljan i Dalarna. Den upptar en del av en grund kalkstenskittel, en gång orsakad av ett meteoritnedslag.

Norra delen av Sverige reser sig sakta från Bottenvikens kust mot fjällen längs den norska gränsen. Här finns en rad långa, smala sjöar som får sitt vatten från smält snö och mindre glaciärer och som löper ut i parallella, snabbflytande älvar. Karaktäristiskt för Sveriges älvar är vattenfall och snabba strömmar och forsar.

I klippformationer och ytavlagringar kan man också notera hur samspelet land – vatten påverkat landskapet. Sverige är mestadels låglänt och består av hårt urberg – en del av de så kallade fennoscandiaskölden. Fjällen på västra sidan av skölden veckades dock under en senare geologisk period. Södra delen av det centrala Sverige, som gränsar till de större sjöarna, utmärks av många förkastningssprickor och brott.

Öland och Gotland har fått sitt särpräglade landskap från äldre kalkstensklippor. Det sydligaste landskapet Skåne har en klippgrund av krita.

I allmänhet är landets klippgrund täckt av sand och rullstensåsar, en kvarleva från istiden, eller av ett lerlager av varierande tjocklek som bildats då havet dragit sig tillbaka eller då sjöarna torkat ut.

Skogarna

Sveriges vanligaste vegetation är barrskogen – tall på sand och grusmark, i fuktigare mark gran, med en riklig tillsats av björk. Återväxen tar nästan dubbelt så lång tid i norr som i söder, mer än ett sekel för ett fullvuxet träd i motsats till cirka sextio eller sjuttio år. Sydlig timmerskog kan ge en skörd av massaved under loppet av en generation.

På hyggen eller svedjeland (skogsbränder förekommer ofta under sommaren) är det björken och alen som först slår rot. Det är björkarna som lyser upp den mörka barrskogen. På höga höjder eller nordliga breddgrader skapar björken också en övergångszon mellan de smala, krokiga tallarna och tundrans lavar och splittrade klippblock.

Industrin, som utnyttjar de utmärkta egenskaperna i timret från barrskogen, har aldrig visat något intresse för björken. Landsbygdens folk däremot har under alla tider uppskattat den till sitt fulla värde. Björkbark skalades av för att användas vid taktäckning och för att fläta skor, väskor och askar. Träet yxades till spånor. Björkkvistarna bands till kvastar och till köks- och badrumsborstar. I svälttider smulades barken sönder och blandades med mjölet för att dryga ut förråden.

Björken har också en estetisk funktion. På våren plockar man in björkkvistar som får slå ut sina små gulgröna blad och till påsk dekoreras med fjädervippor.

De vida skogarna talar till andra sinnen. När björkarna slår ut på hundratals hektar, värmda under dagen av solen och nedkylda av nattens låga temperaturer, uppstår en mycket speciell doft. Barrträd, som hettas upp av sommarsolen, doftar starkt av kåda. På hösten genomsyras skogarna av en angenäm, fuktig doft av förmultning. Skogens ljud är också en viktig del av det svenska landskapet – sommarvinden som sjunger i tallkronorna, höststormen som viner i granriset.

Sveriges viktigaste växtliv må vara barrskogen, men mycket lite av dagens timmer har vuxit naturligt. Huvuddelen av skogarna, som täcker ungefär hälften av landet, består av odlad skog för avverkning. Enligt ordspråket var skogen den fattiges rock, den gav byggnadsmaterial, bränsle och ljus i form av facklor.

Lokalt utsattes stora områden för svedjebruk, ytterligare en ödeläggande faktor var att skogen användes som sommarbete för djuren. Samtidigt utnyttjade man denna, till synes outtömliga källa, till träkol, beck, tjära och terpentin. Innan dessa aktiviteter avtog, lyckades artonhundratalets nyrika timmer-baroner avverka och förstöra vidsträckta områden.

Idag är man mån och att reglera avverkningen av skogen enligt vetenskapliga metoder. Frön plockas från de bästa träden, skott planteras, gödslas, gallras och beskärs, marken dräneras och beståndet avverkas i tur och ordning.

Skogarna har faktiskt förändrats så grundligt av människan, att naturskyddsföreningen har svårt att finna ursprungligt barrskogsbestånd att bevara för eftervärlden. Återstoden av urskogen, den jungfruliga skogen med sina stora trädkronor, döende och förmultnande trädstammar, rotvältor, allt överhängt av långhåriga lavar, mossöverlupet och svampbevuxet, har blivit naturskyddområden.

Skogen är för många mycket mer än träden i sig. Inget barn som vandrat genom sommarens granskogar, har lyckats undgå blåbärsfläckar kring munnen, på fingrar och kläder. Husmödrar med plastbunkar i handen, föredrar de mörkröda lingonen, bär vars naturliga konserveringsämnen gör att lingonsylten håller sig över vintern och kan njutas som krydda till köttbullarna. Tranbär och hjortron kan plockas på mossarna i norr. På hösten ger en mängd olika, ätbara (och giftiga) svampar färg åt skogen och innan frosten kommer, lockar de till sig förhoppningsfulla svampplockare.

Skogarna i Sverige har inte enbart spelat en ekonomisk roll. I forna tider hade de också en religiös betydelse, offerlundarna tillskrevs övernaturliga krafter. När kristendomen gjorde sitt intåg, förbjöds människorna av medeltida lagar att komma i närheten av sådana hedniska platser.

Skogarna har också utnyttjats som fristad. De har gett skydd åt människor som sökt sig undan samhället eller som valt att undfly rättvisan. Den stämning som granskogen ger, är väsentlig för många svenska författare och ingen olivlund, om än så solig, kan mäta sig med den. Det är i skogarna som förfäderna till dagens svenskar satte sina bopålar. Svenskarna är ett skogens folk. Den moderna sportgrenen, orientering, ger psykisk och fysisk vederkvickelse. Till höstskogarna

söker sig också älgjägarna.

Det är inte heller underligt att skogarna har inspirerat poeter som till exempel Arthur Lundkvist i dikten *Kärlek till trä:*

Det tickar en klocka inne i träet
eller kanske ett hjärta
Trä är tid
lagrad som böljor vid en strand

Södra Sveriges skogar utgör en övergång från centraleuropas välkända ek- och bokskogar. Ortnamn erinrar om den förr så utbredda handeln med ek till skeppsbygge – speciellt för flottan – och till byggnadsarbete.

Varje landskap har sin speciella flora. På våren väcks björk- och granskogen först av blåsippan, *Anemone Hepatica,* som strax följs av vitsippa, liljekonvalj och den lilla späda, rosa linnéan, som fått sitt namn efter själva Carl von Linné.

Ängarna bjuder på ett stort urval av vilt växande blommor – ej att förglömma den fridlysta ängsliljan. På mossarna växer klungor av luddig, vit ängsull. På nordligare breddgrader ger de grå renlavarna efter för färgrika alpblommor och mossarter. Längs dikesrenarna och på svedjeland kan man finna smultron och hallon. Sjöarna har sina vita och gula näckrosor och högt växande vass, som är till stor nytta för bönderna. Utmed Östersjöns kust kan man hitta ovanliga strandblommor. Gotland är känt för sina blåa blommor, som återkommer på alla souvenirer från ön – blåklint, förgätmigej, blåklocka, viol och många flera.

Skogarna har också varit en fristad för många vilda djur – de för pälsindustrin så viktiga – hermelin, mink och räv (räv- och minkfarmer är mycket vanliga), björn (numera fridlyst men den jagades till för hundra år sedan) lo och järv och någon enstaka varg. Det förekommer också flera slags hjortar. Den orubbliga älgen finns överallt och skapar stora problem i trafiken. En årlig avskjutning av hundratusen djur räcker inte för att hålla stammen under kontroll.

Ekorren är allerstädes närvarande, lika hemma i staden som på landet. Lämmeltåg förekommer fortfarande i Lappland. Fåglarna – med undantag av tjäder, skata och sparv och ett fåtal andra – är flyttfåglar: sjöfåglarna (vars nästen på skären är fridlysta), vadarfåglarna (trana, häger och någon enstaka stork), simfåglarna (svanar, gäss och vildänder), viltfåglar och svalor (som blir feta på knott och myggor i norr). Har man tur kan man få syn på en örn.

Det svenska jordbruket

Som kontrast till skogarna ser man välskötta åkrar som täcker sju procent av Sveriges areal. I norr ökar andelen skogsbruk. De flesta svenska bönder äger den mark de brukar och ett mindre antal bönder kombinerar fiske med jordbruket. Kreatursskötsel dominerar och pressfoderframställningen har gått om höstskörden. Endast avlägsna jordbruk, som saknar modern maskinell utrustning, kan fortfarande uppvisa de pittoreska höhässorna och höstackarna. Korn, havre och vete är de vanligaste sädesslagen. I södra delen av Sverige kan man se fält med klart gula oljeväxter och i Skåne är sockerbetan vanlig. Avkastningen är dubbelt så stor i söder jämfört med norr. Framställningen av mjölkprodukter överstiger det inhemska behovet och åtstramningar av produktionen har varit nödvändig. Jordbruket kräver stora kapitalinvesteringar, inte minst därför att boskap, redskap och foder måste förvaras inomhus under vinterhalvåret. I norr är inte betestiden utomhus längre än fyra till fem månader. Enorma lador, ofta tre våningar höga, utmärker de flesta gårdar.

Husen är byggda av trä med tegeltak, numera på en grund av cement men tidigare på en grund av stora stenblock, och omgivna av grönsaksland och frukträd. Ingången eller verandan är ofta omgärdad av rosor, kaprifolium, pioner och flox. Man finner gårdagens potatiskällare och ishus sida vid sida med dagens silotorn. Många gårdar är fortfarande målade med Falu rödfärg, som fått sitt namn från Falu koppargruva, där den ursprungligen framställdes. Tillsammans med ockragult och enstaka pastellfärger ser de mycket inbjudande ut.

Kyrkbyar är inte så vanligt, gårdarna ligger i allmän-

het utspridda. Detta beror huvudsakligen på den reform om jorddelning eller skifte som det kallas som infördes i slutet av sjuttonhundra- och början av artonhundratalet då styckebruket sammanfördes till större enheter. Här, liksom i de andra nordiska länderna, tjänar bönderna på att gå samman i jordbrukskooperativ för partiinköp (inte minst när det gäller moderna jordbruksmaskiner) och för marknadsföring, utveckling, försäkringar och bankaffärer. Jordbruk med skogsbruk och fiske inräknat sysselsätter endast sju procent av Sveriges arbetskraft, men produktiviteten har aldrig varit högre.

Sveriges urbanisering

De flesta svenskar har under två generationer bott och arbetat i städer. Stadsplanerarna har ofta utnyttjat naturliga skogar och sjöar till vackra parklandskap. En tredjedel av Sveriges befolkning på 8,4 miljoner bor i de tre största städerna – Stockholm, Göteborg och Malmö.

Stockholm, som grundades på medeltiden på en ö vid Mälarens utlopp i Östersjön, blev 1436 Sveriges huvudstad. Idag är de 1,5 miljoner invånarna utspridda på ett betydligt större område än några sammanknutna öar och halvöar. Staden mellan broarna har en jämn trafik av färjor till Finland och Åland och på sommaren täta ångbåsturer ut till skärgården. Stadens siluett präglas av äldre och yngre tinnar och torn – en av de mest välkända byggnaderna är stadshuset med sitt torn, byggt på 1920-talet i nyromantisk stil.

Stockholm är välförsett med parker och grönområden, där ek och björk, gran och fur växer naturligt mellan hyreshusen. Det centrala Stockholm knyts, via tunnelbanan, ihop på ett effektivt sätt. Från dess kärna brer förstäderna ut sig på en tjugo kilometers radie.

Göteborg, som är Sveriges största hamnstad, brer ut sig på bägge sidor om den djupa Göta älv, som mynnar ut i Nordsjön på den vindpinade västkusten. Stadens grundare fick hjälp av holländska ingenjörer med att bygga kanaler, som är en del av dess sextonhundratals befästningar.

Göta älv är genom kanaler segelbar till Vänern. Flodens stränder och mynning är kantade med lastkajer och varv och här finns också skandinaviens största containerhamn.

Tjugofem mil söder om Göteborg ligger Sveriges tredje stad – Malmö. Det är en gammal hansastad på Öresunds sandiga stränder, med tät färjetrafik till Köpenhamn och vars befästningar ligger sida vid sida med hamnkontor och skeppsvarv.

Kuststäderna längs Sveriges sydkust har mycket varierande karaktär. Bland Bohusläns gråa klippor hittar man fiskehamnar som Smögen och Fiskebäckskil, sommartid dominerade av sommargäster och segelbåtar. Båstad, Falsterbo och Ystad bjuder på idylliska sommarstugor och tältplatser. Helsingborg, som är Sveriges port till Danmark, är något oroat inför tanken på ett eventuellt brobygge över Öresund. Karlskrona, grundat på sextonhundratalet, är Sveriges örlogsbas och ofta stört av främmande, nyfikna ubåtar. Kalmar ligger ett par mil norrut längs Östersjöns kust och dess renässansslott övervakar den sex kilometer långa bron, som förbinder Öland med fastlandet. Mest minnesvärd av dem alla är dock Visbys tre kilometer långa stadsmur i kalksten som omsluter inte mindre än sexton kyrkor och en del mycket vackra bostadshus från sjuttonhundratalet. Staden grundades redan på elvahundratalet och blev snabbt en knutpunkt för hansan i Östersjön. Visby kallas rosornas och ruinernas stad och tycks vara förflyttad från de grekiska öarna till ett Nordens Medelhav.

Längs Bottenvikens kust ligger en rad hamnstäder med en gemensam nämnare. Det är alla knutna till pappers- eller skogsindustin och de flesta ligger vid mynningen av en stor älv, som leder från avverkningsbar skog. De flesta av dessa städer grundades på sextonhundratalet och växte sig rika genom beck, tjära och skeppstimmer. Varje stad har sina utmärkande drag – det må vara den omfattande träindustrin i Gävle och Sundsvall, järn- och stålindustrin i Luleå, universitetsstaden Umeå, Örnsköldsviks pittoreska trähus eller Lövångers vackert restaurerade kyrkby med sin ombyggda klockstapel.

Städerna i inlandet växte ofta upp kring en marknadsplats. En medeltida kyrka, helst belägen vid ett vattendrag, var centrum. Ortnamnen slutar gärna på köping (som betyder marknad) och överallt på kartan över södra Sverige finner man namn som – Falköping, Enköping, Jönköping, Lidköping, Linköping, Norrköping och Nyköping. Ganska speciellt för Skandinavien är Bergslagen med sina många järnverk, de äldsta från medeltiden. De nådde sin storhetstid under sexton- och sjuttonhundratalen, då Sverige var Europas viktigaste leverantör av tackjärn. Bruken är fortfarande färgstarka platser. En del bär namn efter de forsar som gav dem vattenkraft (Hällefors, Storfors, Degerfors), en del slutar på hammar till exempel Hammar, Hallstahammar, Surahammar. Vid somliga orter har järnbruket dött ut och de är nuförtiden mest minnesmärken över en svunnen tid. Här kan man hitta ruiner av gamla järnverk och smedjor, övergivna gruvor med ekande schakt och tunnlar och brukspatronernas stora, ofta vackert belägna, gårdar. Men kolmilan ryker inte längre och hästspannen drar inte längre malm, bränsle och tackjärn längs vintriga vägar. Städer som Ludvika, Fagersta, Arvika och Sandviken har dock fortsatt med sin ursprungliga näring, men har numera elektricitet som sin energikälla och det händer att de importerar sitt råmaterial.

Falun är på många sätt den intressantaste staden i Bergslagen. Här finns Europas äldsta och en gång största koppargruva. Det stora hålet i marken, från vars orter man i sexhundra år utvunnit koppar, är kantat med söndervittrat, kopparhaltigt avfall i rött, gult och ockra. Muséet intill berättar om tekniskt och hantverksmässigt kunnande, medan de stora kopparmynten, en del stora som taktegel, berättar om den rikedom gruvan en gång givit i avkastning.

Bergslagens järnbruk låg inte långt från Hjälmaren, där Örebro var knutpunkten, från vilken allt järn skeppades till järnindustrins centrum i Stockholm. På den tiden kunde man, som författaren Hjalmar Bergman sade, "ta Moder Sveas puls" på marknaden i Örebro. Den pulsen har grannstaden Västerås tagit över idag.

Dess elektricitets- och kärnkraftverk, en följd av går-dagens företagsamhet och dagens reformer, är ett utmärkt exempel på Sveriges moderna industri.

Det är snart hundra år sedan järnindustrins tyngd-punkt flyttades från Bergslagen till Lapplands fjäll. Den fosforhaltiga malm, som först till fullo kunde bearbetas med hjälp av Gilchrist Thomas smältprocess (uppfun-nen 1870), utgör här Sveriges viktigaste källa av råma-terial. Så mycket som tjugo miljoner ton transporteras årligen via järnväg till Narvik och Luleå för export. Kiruna, centralt placerad mellan malmfyndigheterna i Kirunavaara och Luossavaara, och inte så långt ifrån Kebnekaise, Sveriges högsta berg, dominerar malm-hanteringen. Kiruna, som är beläget norr om Polcir-keln, har troligen varit ett av världens mest framgångs-rika gruvsamhällen på nordliga breddgrader, malmens priskänslighet till trots. Kiruna är också ett av undan-tagen från regeln, att svenska städer måste ligga vid vattnet.

Andra undantag är de framstående universitetsstä-derna Uppsala och Lund. Uppsala är säte för Sveriges ärkestift och Skandinaviens äldsta universitet. Staden ligger mitt på den bördiga Uppsalaslätten och genom dess mitt rinner den lilla Fyrisån, idag knapast mer än en bäck.

Från domkyrkans gotiska torn och det stora sjutton-hundratalsslottet är det bara några kilometer fågel-vägen till gravhögarna i Gamla Uppsala.

Lund, universitetsstaden som vuxit upp kring den romanska domkyrkan, har en mer centraleuropeisk karaktär. Dess läge på Skåneslätten, ett av Sveriges största och äldsta jordbruksområden, bevisar att en stad klarar sig alldeles utmärkt utan barrskog, vatten och berg.

Kuststäderna längs Sveriges sydkust har mycket varierande karaktär. Bland Bohusläns gråa klippor hittar man fiskehamnar som Smögen och Fiskebäcks-kil, sommartid dominerade av sommargäster och segelbåtar. Båstad, Falsterbo och Ystad bjuder på idyl-liska sommarstugor och tältplatser. Helsingborg, som är Sveriges port till Danmark, är något oroat inför tan-ken på ett eventuellt brobygge över Öresund. Karls-

krona, grundat på sextonhundratalet, är Sveriges örlogsbas och ofta stört av främmande, nyfikna ubåtar. Kalmar ligger ett par mil norrut längs Östersjöns kust och dess renässansslott övervakar den sex kilometer långa bron, som förbinder Öland med fastlandet. Mest minnesvärd av dem alla är dock Visbys tre kilometer långa stadsmur i kalksten som omsluter inte mindre än sexton kyrkor och en del mycket vackra bostadshus från sjuttonhundratalet. Staden grundades redan på elvahundratalet och blev snabbt en knutpunkt för hansan i Östersjön. Visby kallas rosornas och ruiner-nas stad och tycks vara förflyttad från de grekiska öarna till ett Nordens Medelhav.

Det är lätt att förstå, att människor flyttar från under-priviligierade områden till samhällen med till synes bättre möjligheter. Flykten från landsbygden, för länge sedan överstånden i södra Sverige, pågår fortfarande i norr. Man flyttar också från städerna i norr till städerna i söder, men effekten på befolkningsstatistiken påver-kas av den högre nativiteten i norr. Emellertid är utflyttningen från stora delar av Norrland sådan, att många kommuner har stora problem med övergivna gårdar och jordbruk och en allt större del äldre befolk-ning, till följd av att de yngre mer företagsamma flyttar därifrån.

En dylik situation skapar problem för det kommu-nala styret och för försörjningen. Man beräknar idag att ett invånarantal på minst åtta till niotusen krävs för att skola, pensionärshem, sjukvård, postkontor, ban-ker och affärer skall kunna fungera. Svårigheterna ökar när befolkningen är utspridd. Man kan spara in med rullande affärer och bibliotek, med tandläkar- och läkarbussar, men samhället blir lidande när dessa inrättningar inte har en fast plats.

Människorna i Norrland i allmänhet och norrbott-ningarna i synnerhet har skapat sin egen uppfattning om södra Sverige. "Sverige låg långt borta och var i grund och botten ett annat land", skrev författaren Eyvind Johnson, då han mindes sin ungdom i seklets början. Norrlänningarna vill inte bli beroende av Syd-sverige och de ogillar vad de anser vara den syd-svenska industrins exploatering av naturtillgångarna i norr. Förbittringen tar sig uttryck i en radikal inställning och relativt många röster för kommunisterna.

Samtidigt karaktäriseras kyrkan av ett starkt pietiskt inslag i motsats till den avspända evangeliska lutherska andan, som råder i övriga landet.

I Norrland ligger ett område, gemensamt med angränsande delar av Norge och Finland, av en helt annan etnografisk karaktär än övriga landet. Samerna, norra Sveriges urinvånare, är bara cirka femtontusen till antalet men det har en i alla avseende stor betydelse. De flesta samer är fast bosatta på bondgårdar och endast en minoritet fortsätter med renskötseln och den livsstil det innebär. Deras färgglada klädsel kan tyckas tyda på att de är en udda spillra från det förgångna, men de har en stark känsla för sitt ursprung och de har på senare tid fått politiskt allt mer att säga till om. I Jokkmokk ligger deras kulturella centrum med museum och folkhögskola. Hjordarna på nära tvåhundrasjuttiofemtusen renar utgör en del av Lapplands image, men de har inte bara en romantisk utan också en praktisk betydelse. Den årliga slakten ger en påtaglig inkomst i form av kött, skinn och horn. Problemet med betesmarker, som ofta leder till intrång på annans område, skapar samtidigt irritation mellan renägare, bönder och skogsägare. Norrbottens utbyggnad i form av järnväg, vägar och vattenkraft, har skett på bekostnad av ursprungliga betesmarker och vandringsleder.

I Norrland möts man av ytterligare ett etnografiskt problem. I gränstrakterna mot Finland, i Tornedalen, har alltid funnits en betydande finskspråkig befolkning. När skogsbruket i norra Sverige och järnbruket i Norrbotten satte igång, drog det till sig ett stort antal finska invandrare. När den gemensamma arbetsmarknaden mellan de nordiska länderna etablerades, ökade inflyttningen av finnar väsentligt. Vid mitten av sjuttiotalet hade Sverige så många som trehundratusen finnar bosatta inom sina gränser och finnarna utgör utan tvekan Sveriges största invandrargrupp. Liksom samerna, har finnarna sökt utverka särskilda rättigheter, som att använda finska språket i undervisningen.

Norra delen av landet är fortfarande mycket av ett nybyggarland. Det är ett vidsträckt, glest befolkat område med huvudsakligen råvaruproduktion.

Här finner man malmprospekterare, lantmätare och ingenjörer och naturligtvis naturvårdare, som håller ett vaksamt öga på dem. Här finner man också olika föreningar, som ägnar sig åt att utforska landet. Ett samhälle häruppe lever och dör med det växlande värdet på naturtillgångarna. Man får inte heller glömma att Norrbotten är ett gränsland också i politiskt hänseende. Idag kan man fritt röra sig över gränsfloderna och ett nätverk av giftermål knyter samman svenska och finska familjer på båda stränderna. Icke desto mindre finns det i nordöstra Norrbotten omfattande, förbjudna militärområden. Före första världskriget grundades förläggningen i Boden, som en militär utpost. Under andra världskriget hotades Norrland av en invasion.

Gammalt och nytt väger mot vartannat i norr. Ytligt sett finns där mycket av gårdagens Sverige. Ser man till tillgångarna, är det onekligen ett framtidsland. Beroende på produktionens växlande karaktär, är framtiden svår att förutsäga. Paradoxalt nog är produktionen idag mindre beroende på inhemskt råmaterial än för en – eller i ännu högre grad – två generationer sedan. Invånarna, sysselsatta med råvaruproduktionen i norr är ironiskt nog, i hög grad understödda av tjänstesektorn, eftersom dagens Sverige tjänar lika mycket på sina tjänster som på sina exportprodukter.

Den tekniska utvecklingen

Den industriella revolutionen inträffade sent i Sverige. Detta berodde delvis på att landet saknade kol, som på den tiden var det viktigaste bränslet. Sverige var också motvilligt till att importera utländskt kapital för att starta nya företag. Trots detta frambringade Sverige en förvånansvärd rad av uppfinnare, som bidrog till landets industriella uppvaknande och som satte sin prägel på omvärlden.

Bland uppfinnarna fanns Gustaf de Laval, som uppfann separatorn och senare aktions-ångturbinen, och

Alfred Nobel, uppfinnaren av dynamiten, så väsentligt för gruv- och byggverksamhet i Sveriges hårda klippgrund.

LM Ericsson tillverkade telefoner i Sverige ungefär samtidigt som Alexander Bell i Canada; Husqvarna utvecklade en symaskin som konkurrerade med Singer; SKF:s uppfinnare fulländade tekniken för den så viktiga kullagerindustrin och Gustaf Dalén uppfann den automatiska fyren (till välsignelse för Sveriges långa och svårtillgängliga kuster). Före Kreugerkraschen 1930, hade Sverige monopol på tändstickstillverkningen i så gott som hela världen. Det är svårt att förklara denna koncentrerade energiutveckling. Ordspråket att fattigdomen är uppfinningarnas fader – som oftast syftar på Småland – gäller knappast uppfinnarna själva. Det kan delvis ha berott på att Sverige tidigt anammade det tyska mönstret för högre teknisk utbildning, men enbart utbildning kan inte förklara att Sverige är ett av de tre länder som har flest registrerade patent per år.

Inget annat område har utvecklats så snabbt som transporten. Sveriges järnvägar var bland de första i Europa som helt gick över elektricitet och Sverige var också bland de första länder som fick ett statligt elnät. Det var därför naturligt att utvecklingen av rullande materiel, av en elektrisk komponent-industri och av elektro-metallurgi skulle följa. Det är inte lika lätt att förstå den imponerande utvecklingen av bilindustrin. På en generation har Sverige intagit en ledande plats på världsmarknaden när det gäller tranportfordon, bussar och personbilar. Som en förlängning av bilindustrin har framställningen av flygplan utvecklats, dock oftare militära än civila. Samtidigt har sjötransporten fordrat lika stor uppmärksamhet, eftersom svenskarna, liksom sina nordiska grannar, är ett sjöfarande folk.

Den erfarenhet som vunnits av de många små varv som byggde fiskebåtar och kooperativt ägda segelfartyg med träskrov, kom till nytta vid tillkomsten av en modern varvsindustri, liksom vid framställningen av specialstål.

Varvsindustri i stor skala var lokaliserat i första hand till Malmö, Göteborg och Uddevalla. Under en kort period drog den svenska varvsindustrin till sig världens uppmärksamhet.

Men oljekrisen, med dess efterföljande nedgång i världshandeln, har gjort varvsindustrin mindre framgångsrik. Uddevalla-varvet har slagti igen och Malmö har till stor del lagt ner verksamheten.

Den mest utbredda industrin i Sverige är massa-industrin. Fabrikerna är lätta att känna igen på sitt läge vid vattnet, sina höga skorstenar som släpper ut vita moln av rök och den kraftiga lukt som uppstår vid massatillverkningen.

Barrträden är råmaterial för en mängd olika produkter. En mängd varor tillverkas av papper och pappersmassa, av plankor och bräder. Bi-produkterna är också mycket viktiga. Den kemiska industrin intar en framträdande plats i Sveriges näringsliv.

Under mellankrigsåren blev konsumtionsvarornas design och kvalitet av stor betydelse. Genom dess framgångar på internationella utställningar, blev svenskt glas uppmärksammat världen över. En särskild svensk stil växte fram i hushållsartiklar, möbler, tyger, keramik, bestick, serviser och köksutrustning. Kläder följde efter. Med tanke på vinterkylan och den stora tillgången på älg och renhudar, blev svenskarna föregångare då det gäller skinnkläder. Tillsammans med hushållsprodukterna kom ordet smörgåsbord, som introducerade en rad typiska svenska delikatesser.

Den svenska marknaden är relativt liten och industrin kan endast uppnå lönsamhet i stor skala genom export. En del stora företag, som LM Ericsson, exporterar över nittio procent av sin produktion. Andra företag har varierat sin verksamhet för att nå maximal försäljning. Av den anledningen kan företaget Atlas Copco erbjuda tretusen olika varor och tjänster. Samtidigt som den svenska industrin har utvecklats och utökats hemma, så har den etablerat dotterföretag i utlandet. De flesta av Sveriges stora industrier har filialer över hela världen, främst maskin- och elektronikindustrin. Banker, försäkringsbolag och konsultfirmor har också öppnat kontor utomlands. Med anledning härav är ett stort antal svenskar bosatta i utlandet. Vinsten från dessa anläggningar är, för en del ledande företag, större än vinsten från fabriken i Sverige.

Sverige har också varit mycket framgångsrikt, när det gäller att sälja och färdigställa fabriker och olika slags produktionsenheter till utlandet. De sträcker sig från pappers- och massafabriker till hydroelektriska kraftstationer, från raffinering av mineraler till telefonnät, från broar och flygfält till skolor och sjukhus. I närheten av Moskva har svenskarna byggt världens största mejeri.

Med tanke på all denna företagsamhet är det inte så konstigt att Sveriges inkomst per capita är bland den högsta i världen. På denna ekonomiskt stabila grund har det varit möjligt att bygga upp och upprätthålla ett av världens mest utvecklade pensions- och försäkringssystem. Att bibehålla denna höga standard skapar idag problem, inte minst med tanke på energifrågan.

Förr kunde Sverige glädja sig åt obegränsade mängder billig energi från sin vattenkraft. Redan under mellankrigsåren växte efterfrågan i så hög grad, att experterna förutsåg en kommande energikris och man förhandlade om vattenkraft från Norge för Stockholms räkning. Idag är nästan alla svenska älvar utbyggda och de få som fortfarande finns kvar är föremål för ständig polemik mellan naturskyddsföreningarna och kraftverksbolagen. Under efterkrigstiden har Sverige varit mycket beroende av den billiga oljan från Mellanöstern och oljetankers har utgjort hälften av handelsflottan. I motsats till Norge finns här ingen inhemsk olja och mycket lite oljehaltigt lerskiffer och chansen att hitta några fyndigheter till havs är inte stor. Det utbredda motståndet mot kärnkraften har förstärkt problematiken kring energifrågan.

Sverige har tolv reaktorer och det har sagts att de ska avvecklas till år 2010. Trots aktiva försök att spara energi, orsakar de höga bränslekostnaderna en fortsatt ansträngd ekonomi.

Nationalromantik

Samtidigt som Sverige är socialt och ekonomiskt avancerat, så har intresset för dess historia ökat – en historia fylld av motsägelser.

Här finns ett överflöd av fornlämningar, dock mest i de tätbefolkade bygderna.

Bland de äldsta man finner är hällristningar från stenåldern som föreställer båtar, jägare, villebråd, spiraler och labyrinter.

Här finns gravhögar och skeppssättningar. Här finns också tusentalet runstenar, minnesmärken resta över väringar – eller vikingar – som hellre reste österut än västerut. Författaren Frans G Bengtsson har kraftfullt och mustigt berättat om deras äventyr i sin roman *Röde orm*.

Historien om landets utveckling kan man bland annat utläsa på vägskyltarna, det var en svensk filolog som banade vägen för det vetenskapliga studiet av ortnamn.

I södra Sverige finns det gott om medeltida kyrkor, några delvis befästa, några med väl restaurerade muralmålningar. Här finns också en del ruiner av byggnader uppförda till den heliga Birgittas ära. På Gotland har man funnit mängder av medeltida guld- och silvermynt, präglade med bilder av den gamla världens konungar, kejsare och kalifer, som härskade långt innan Sverige existerade som stat.

Efter reformationen blev Sverige en maktfaktor i Europa med total kontroll över Östersjön. Med hederstiteln "Lejonet från Norden" ledde Sveriges kung Gustav II Adolf på sextonhundratalet sina arméer ner över kontinenten. Imponerande slott, som Gripsholm vid Mälarens lugna vatten, Kalmar slott i barockstil och lustslott som Läckö, är minnen från storhetstiden. På muséer i bland annat Stockholm kan man se byten från trettioåriga kriget. Det olycksdrabbade krigsfartyget Wasa, som kantrade vid sjösättningen för trehundra år sedan, har lyfts upp ur vattnet och kan beskådas i all sin makabra prakt. Även efter slaget vid Poltava, där ryssarna besegrade den äventyrlige Karl XII (huvudperson i en av Voltaires böcker), behöll Sverige en ledande, men annorlunda position i Europa. Under upplysningen grundade sådana genier som Linné och Polhem (ibland kallad Nordens da Vinci) en Vetenskaplig Akademi. Sextonhundratalets militära utveckling gav vika för en vetenskaplig forskning. Bland andra initiativ satte Sverige igång världens första moderna folkräkning 1749.

Medan Gustaf III bringade det kulturella livet till sin spets på Drottningholms slott (Sveriges Versailles), så ekade Stockholms värdshus av poeten Bellmans sånger, som än idag är populära.

Vid mötet med Sveriges ärorika minnesmärken och dagens moderna komfort glömmer man lätt artonhundratalets fattigdom och svält, då Sverige var ett U-land. Torparstugorna och statarbarackerna har för evigt försvunnit. De fattigas lott sporrade författaren Vilhelm Moberg till hans episka verk *Utvandrarna*, som sammanfattar en hel miljon svenskars erfarenheter av att skaffa sig ett nytt liv i en ny värld. Ironiskt nog har de landskap som förr hade den största utvandringen, Värmland (Selma Lagerlöfs hembygd) och Småland, idag blivit några av de mest populära turistlandskapen. Och Bohuslän, på artonhundratalet beskrivet som ett enda stort fattighus, har blivit ett semesterparadis.

Vill man få en bild av Sveriges förflutna spelar muséerna en viktig roll. Medan August Strindberg berättade om Sveriges kungar i sin historiska dramatik, skapade Arthur Hazelius ett nytt slags museum på gräsrotsnivå. Skansen, som hans verk kallas, ligger på Djurgården, en av Stockholms öar. Det grundades 1891, det första av en ny typ av friluftsmuséer. Här samlades tidstypiska bostäder och verkstäder från alla delar av landet. De möblerades, utrustades och dekorerades med autentiska föremål. Hantverkare gav liv åt smedjor, kvarnar och glashyttor, medan kvinnor i folkdräkter satte spinnrockar och vävstolar i rörelse. Skansen har varit förebild för hembygdsmuséer över hela landet. Parallellt har man också skapat en rad muséer med en mer speciell inriktning som tändsticksmuséet i Jönköping, utvandrarnas hus i Växjö, ett museum över skogsbruket i Sundsvall och över gruvdriften i det

avlägsna Arjeplog.

I vissa landsdelar har traktens speciella kultur bidragit till att skapa ett folklivsmuseum.

Området kring Siljan och dess invånare har redan blivit odödliga genom Anders Zorns livfulla måleri från slutet av artonhundratalet och det dröjde inte länge förrän pittoreska hotell växte upp för dem som ville besöka hans hembygd.

Det lokala konsthantverket utövar också en stark dragningskraft – vackert målade moraklockor, träsnideri (framförallt de blå, röda och orange dalahästarna), vävnader med typiska, dekorativa mönster, kalkstenen i rosa-grå toner med mönster av fossiler kan beundras i blanka golv, dörröverstycken och gravstenar. Kyrkogårdarna har minnesmärken, som inte bara berättar om de döda, utan också om smedernas skicklighet i utövandet av sitt hantverk.

Kyrkbåten, med sitt lag av folkdräktsklädda roddare, styr fortfarande kosan över Siljan vid Rättvik och Mora om somrarna; ännu reser man den blomsterklädda midsommarstången; ännu spelar fiol och dragspel upp till dans. Vintern har också sina höjdpunkter. Den första söndagen i mars samlas tusentals skidlöpare i Mora för att återuppliva det klassiska loppet (åtminstone delar av det), som gjordes av Gustaf Vasa för mer än fyrahundra år sedan.

Här firas också andra högtider till åminnelse av historiska händelser. En del berör kungahuset med kortege och beriden vakt. I husgerådskammaren på Stockholms slott finns kungliga kläder och minnessaker bevarade. Den sjätte november äter man Gustaf Adolf-bakelser till minne av konungens död vid Lützen 1632. En högtid av muntrare slag (fast vädret kan vara eländigt) är Valborgseldarna den sista april, då studenterna hälsar våren välkommen. Universitetens ceremonier är mer formella och vid promotioner krävs att frack och hög hatt bärs av samtliga med doktorsgrad. Den mest storslagna ceremonin äger rum den tionde december då Nobelpriset delas ut.

Intresset för naturvården

Minnet av det förgångna följs av ett engagemang för naturvård. I vissa områden har detta djupa rötter.

Redan på sjuttonhundratalet var de svenska makthavarana oroade av de ingrepp som gjordes på skogarna och försökte stävja sådana ödeläggande tillvägagångssätt som till exempel svedjebruk. Så tidigt som före första världskriget togs initiativ att skydda ovanligt natursköna områden. Här spelade Svenska Turistföreningen en stor roll.

Av Sveriges nitton nationalparker fanns hela sex stycken år 1909, inklusive de två i Lappland som fortfarande räknas till de största i Europa. Idag finns i Sverige över tusen naturskyddade områden. De sträcker sig från torvmossar till dungar av hassel och ek längs Östersjöns kuster (enligt Linné var dessa dungar vackrare än någon slottspark). I Sverige finns också omkring fyrahundrafemtio djurskyddade områden, bland annat vildfåglarnas häckningsplatser på skären.

För att kontrollera utvecklingen har den svenska kusten indelats i tre slags zoner: redan industrialiserade områden där nyetablering är tillåten, naturskyddade områden där all industrialisering är förbjuden och slutligen områden där invånarnas ekonomiska och sociala behov är så krävande att en utveckling av industrin bedöms som viktigare än naturvården.

Föroreningen av naturen är en central fråga. Graden av nersmutsning är registrerad i statistisk årsbok. Där finns förteckningar över kemikalier och gifter, luftföroreningar i vissa städer och fördelningen av oljeutsläpp.

Sveriges skogar och sjöar är också i hög grad påverkade av de sura regn som kommer från Väst- och Östeuropa. Sverige siktar på att minska sina svavelutsläpp genom att installera förbättrad, svensktillverkad utrustning vid alla sina värmekraftverk (antalet kraftverk kommer att öka i framtiden) och genom att reducera de giftiga avgaserna. När det gäller kärnkraften är det förbjudet att bryta uran i Sverige och exporten av reaktorer och kärnteknik är nedlagd.

Nedsmutsningen av Sveriges sjöar och älvar kan begränsas genom lagstiftning, men man kan bara nominellt kontrollera föroreningen av Östersjöns internationella vatten. Östersjön skulle lätt kunna bli norra Europas döda hav, eftersom den saknar ebb och flod, har låg salthalt och har kuster som delvis är hårt industrialiserade. Sverige är en av de främsta bidragsgivarna till det stående, internationella forskningslag som observerar och undersöker dess vatten.

Behovet av trygget

Svensken har alltid haft, och har fortfarande ett stort behov av trygghet – trygghet på tre områden. I första hand har det varit en fråga om trygghet för liv och lem. För hundra år sedan hotades den svenska landsbygden av svält, medan de växande städerna skapade en arbetarklass som levde i fattigdom. Den tekniska utvecklingen har bytt ut fattigdom mot rikedom; underskott mot överskott. Svårigheterna att bo i Europas norra gränstrakter – för att inte nämna norr om Polcirkeln – kan inte helt elimineras, men de kan mildras. Välfärds- och hälsolagstiftningen garanterar säkerhet för individen och jämnar i stor utsträckning ut olikheterna mellan dem som arbetar i olika delar av landet. Det är tveksamt om dessa sociala förmåner överträffas i något annat land.

I andra hand har här funnits en stadigt växande blandekonomi som försäkringssystemet bygger på. Inriktningen har varit en medelväg mellan statlig och privatägd industri, i vilken ett utmärkande drag har varit medbestämmande för den anställde.

I tredje hand har det varit en fråga om internationell säkerhet och detta har uppnåtts genom en neutralitetspolitik. Sverige har inte varit i krig sedan 1808–09, då Finland förlorades till Ryssland. Den bergiga gränsen mot Norge, som blev utstakad först 1750, har visat sig vara en av de säkraste i Europa. Sverige har inte haft några utländska besittningar – kolonierna vid Delaware införlivades med de brittiska mot slutet av sextonhundratalet. Det har inga anspråk på att utvidga sina gränser och har inte heller verkat för att utöka sitt sjöterritorium. Det arbetar för att norra Europa, internationellt sett, ska förbli ett område utan politiska spänningar.

Icke desto mindre rör det sig om en väl beväpnad neutralitet. Inga trummor och trumpeter annonserar det faktum att det svenska flygvapnet har ett försvar, som kan mäta sig med vilket som helst i Europa och det kan tack vare allmän värnplikt kalla in en stor armé-reserv. Bara namnet Bofors anger en verksam och effektiv uppföljning av vapentillverkningen. Ytligt sett finns här ingenting som tyder på en stark nationell känsla i Sveige, men den blå-gula fanan står för en fri och beslutsam anda.

De nordiska granländerna är av stor vikt för Sverige och svensk säkerhet är som starkast, när förhållandet dem emellan är harmoniskt. Fastän Sverige är en liten maktfaktor internationellt sett, så är det störst bland de fem nordiska länderna. Dessa fem är närmare knutna till varandra än några andra länder i världen. Utifrån Nordiska Rådets (grundat år 1952) övervägande härrör många gemensamma lagar, som varit till gagn för alla. Det viktigaste är kanske, att de fem länderna utgör ett gemensamt passområde och har en gemensam arbetsmarknad. Sverige har fått ta emot det största antalet invandrare från sina grannar eftersom det har varit det rikaste landet och är det mest centralt belägna. Tack vare en generös invandrarpolitik är var tionde svensk antingen utlänning eller född av utländska föräldrar.

Genom sin neutrala hållning har Sverige kunnat behålla en oberoende linje gentemot grannar med olika lojaliteter. Norge, Danmark och Island i väster hör till NATO. Finland i öster har ett vänskapsförbund med Sovjet. Alla fem är medlemmar av EFTA som grundades i Stockholm för cirka tjugo år sedan, men Danmark är medlem av EG och Finland har en särskild överenskommelse med Comecon.

Sökandet efter trygghet har i dagens Sverige fått en fjärde dimension – ekonomisk och social säkerhet åt andra länder. Sverige ger en stor del av sin bruttonationalprodukt till hjälp och stöd åt utvecklingsländerna (få länder ger mer). Och vad mer är, dess bidrag till internationell hjälp och till att upprätthålla den internationella ordningen, är lättare att acceptera för dessa länder på grund av Sveriges neutralitet på det politiska planet och dess oberoende hållning till världsmakterna. Men slutligen: man kan bara uppnå en viss grad av säkerhet och alla försök att minska problem och svårigheter kommer att skapa nya riskfaktorer. Sedan Nils Holgerssons dagar har svenskarna triumferat över miljöns begränsningar genom att rationellt använda den moderna tekniken. De har uppnått den högsta levnadsstandarden i världen genom att anslå en effektiv om än kontroversiell balans mellan den allmänna och den privata ekonomiska sektorn.

Om svenskarna inte har kommit på receptet för att garantera största möjliga lycka för största möjliga antal människor, så har de i alla fall tagit ett steg i rätt riktning genom att öka livslängden för största möjliga antal människor. Och tar man så landets storlek, läge och befolkning, så kan de flesta opartiska åskådare enas om, att man här har lyckats skapa en så perfekt modell som möjligt för ett socialt och ekonomiskt system.

Sweden grew up as a nation at the meeting ground of Lake Mälaren and the Baltic Sea. The core of the original Stockholm (right), dominated by Riddarholmen Church, contrasts with a view (above) looking east from Stadshuset (the City Hall). An hour's journey north of Stockholm is Uppsala, with its fine Gothic cathedral (previous page), the Lutheran archbishopric and Scandinavia's oldest university.

Sverige som nation växte fram på den plats där Mälaren och Östersjön sammanstrålar. Det ursprungliga Stockholm (till höger), domineras av Riddarholmskyrkan och – som kontrast – utsikt mot öster från Stockholms Stadshus (ovan). En timmes resa från Stockholm ligger ärkebiskopssätet Uppsala, med domkyrkan i gotisk stil (föregående sida). Här finns också Skandinaviens äldsta universitet.

Previous pages: Stockholm, city of contrasts; (left) Riddarholmen and Stadshuset at sunset, and (right) Sergels torg with the tallest glass statue in the world (37,5 metres), the light column "Kristall". This page: changing the guard at the royal palace (below), (bottom) children at Stortorget in the Old Town, (right) sightseeing boats on Riddarfjärden. Opposite: Västerlånggatan, one of the exciting shopping streets in the Old Town.

Föregående sidor: Stockholm, kontrasternas stad; (till vänster) Riddarholmen och Stadshuset i solnedgång och (till höger) Sergels torg med världens högsta glasstaty (37, 5 m), ljuspelaren "Kristall". Denna sida: Vaktavlösning vid Stockholms slott (nedan), (längst ned) barn på Stortorget i Gamla Stan, (till höger) sightseeingbåtar på Riddarfjärden. Motsatt sida: Västerlånggatan, en av de många spännande shoppinggatorna i Gamla Stan.

Previous pages: Drottningholm castle, a 17th century palace, previous summer residence of the royal family – today their permanent residence, and Sweden's Versailles, complete with working theatre, and (right) Stockholm's best-known hotel, the Grand. Above: Blå Hallen (the Blue Hall) of Stadshuset, well known for the annual Nobel festivities. Right: Storkyrkan, flanked by the royal palace in the Old Town. Overleaf: reception rooms for official functions in Stadshuset: (left) Prinsens Galleri, (right) Gyllene Salen.

Föregående sidor: Drottningholms slott, byggt på 1600-talet som ett Sveriges Versailles, tidigare sommarresidens – numer permanent bostad för Sveriges kungafamilj. Här finns också en välbevarad 1700-tals teater som fortfarande används. Till höger: Stockholms mest kända hotell, Grand. Ovan: Blå Hallen i Stadshuset, känd för de årliga Nobelfestligheterna. Till höger: Gamla Stan med Storkyrkan flankerad av Kungliga slottet. Nästa uppslag – officiella mottagningsrum i Stadshuset: Prinsens Galleri (till vänster) och Gyllene Salen (till höger).

Top: Nordiska Museet seen from Skansen: Scandinavia's first open-air museum. Top right: Karlaplan, a charming residential area in central Stockholm. Above: Kaknästornet on a Baltic inlet, from where one has a magnificent view of Stockholm. Right: a fountain in the beautiful park at Drottningholm. Opposite: Riddarholmen seen from the tower of Stadshuset, showing the mediaeval island site between Lake Mälaren in the foreground and the Baltic beyond.

Överst: Skandinaviens första friluftsmuseum, Nordiska muséet, sett från Skansen. Överst till höger: Karlaplan, ett charmigt bostadsområde i centrala Stockholm. Ovan: Kaknästornet vid Östersjöns inlopp, varifrån man har utsikt över hela Stockholm. Till höger: En fontän i Drottningholms vackra slottspark. Nästa sida: Riddarholmen med Mälaren i förgrunden och Östersjön i fonden, sedda från Stadshustornet.

Stockholm's St Jacob's Church (top left) with Molins fountain. Top: Riddarholmen seen through the colonnade of Stadshuset. Left: Riksdagshuset, the parliament house, a short distance from which is Prästgatan (above), a mediaeval street. Right: gardens surrounding Stadshuset. Overleaf: the Old Town and Riddarholmen (left) showing the complex system of routes and Kungsträdgården, one of many attractive parks in central Stockholm (right).

Jakobs kyrka i Stockholm (överst till vänster) med Molins fontän i förgrunden. Överst: Riddarholmen sedd genom Stadshusets pelargång. Till vänster: Riksdagshuset och inte långt därifrån Prästgatan, en medeltida gata i Gamla Stan. Till höger: Den gröna och lummiga Stadshusträdgården. Nästa uppslag: (vänster) Gamla Stan och Riddarholmen och (till höger) Kungsträdgården, en av Stockholms många trevliga och centralt belägna parker.

Östergötland and Småland provinces in south-east Sweden flank Lake Vättern (above), Sweden's second largest lake. Right: Gränna, an attractive town in Småland, where Brahegatan offers a typical summer scene, with Swedish flags much in evidence. Overleaf: panoramic views of the lakeshore farmsteads from Brahe Hus castle, which dominates one of the many rocky outcrops; and of harbour lights at Gränna.

Landskapen Östergötland och Småland ligger öster om Vättern, som är Sveriges näst största sjö (ovan). Till höger: Gränna, idyllisk småstad i Småland, och Brahegatan smyckad med svenska flaggor – en typisk småstadsgata sommartid. Nästa uppslag: Utsikt från Brahe Hus – byggt på en av de många klippor som flankerar Vättern – över bondgårdarna vid Vätterns strand och hamnljusen i Gränna.

Left: a farm scene near Hästholmen on Lake Vättern in Östergötland. Farming villages are unusual; most homesteads stand on their own. The owner-operated farms have a large investment in buildings since all stock, food and fodder crops and equipment must be accommodated in winter. Above: Lake Vättern, seen from the tavern Gyllene Uttern, with a landscape of mixed farming in the foreground, with animal husbandry dominant.

Till vänster: Jordbruk nära Hästholmen vid Vättern. Typiska bondbyar är ovanliga, i stället ligger gårdarna utspridda, omgivna av den jord som brukas. Bönderna äger själva sina gårdar och måste investera stora pengar i olika byggnader, eftersom kreatur, maskiner, bröd- och fodersäd måste förvaras inomhus under den kalla vintern. Ovan: Vättern sedd från värdshuset Gyllene Uttern, i förgrunden blandat jordbrukslandskap dominerat av boskapsskötsel.

57

Kalmar, an historic town in the province of Småland in south-east Sweden, is centred on its sturdy castle (above) which commands the sound between the mainland and the island of Öland. In the centre of Kalmar, on Stortorget, is the baroque cathedral (left) typical of church architecture from the 17th-century, and contrasting strikingly with the Gothic features of Uppsala Cathedral.

Kalmar i Småland är en stad, med gamla anor, som byggdes upp kring Kalmar slott (ovan). Slottet var en viktig utpost för att bevaka och försvara Kalmarsund på den tiden Sverige var i krig. Domkyrkan i barockstil (till vänster) är belägen på Stortorget i centrala Kalmar. Den är byggd i 1600-tals stil.

The dry, open, limestone landscapes of the island of Öland throw into relief (top left) Gettlinge Gravfält, near Degerhamn – an iron-age stone circle – the ruins of Borgholm Castle (left), and the late 18th century Karls Olsgården house (above) at Himmelsberga open air museum. Top: the remarkable standing-stone circle at Kåseberga in the province of Skåne. Facing page: historic Visby (left), principal city of the island of Gotland (top right), is linked to the mainland by regular ferry services, while the 4-mile-long Öland Bridge (bottom right) carries traffic between Öland and the mainland.

Det torra öppna kalkstenslandskapet på Öland med i relief Gettlinge Gravfält nära Degerhamn (överst vänster) – ett järnåldersgravfält med vacker skeppssättning, – Borgholms slottsruin (vänster) och 1700-talshuset Karls Olsgården (ovan) vid Himmelsberga friluftsmuseum. Överst: Den märkliga skeppssättningen Ales stenar vid Kåseberga i Skåne. Nästa sida: Den gamla Hansestaden Visby (vänster) centralorten på Gotland (överst höger) förbinds med fastlandet genom färjetrafik medan den 6 km långa Ölandsbron (nederst höger) binder samman Öland med fastlandet.

Previous pages: Sweden's longest bridge (6070 metres), linking Öland to Kalmar; and (right) the fishing harbour of Simrishamn in Skåne. This page: Kalmar townscape (top left), with Öland bridge in the background. Top: fishermen at Björkholmen, Karlskrona. Right: an 18th century lighthouse, Sweden's tallest (140 feet), at Ottenby, Öland. Opposite: Stortorget (square), Karlskrona, with its statue of Charles XI.

Föregående sidor: Ölandsbron, Sveriges längsta bro (6070 m), som förbinder Öland med fastlandet. Till höger: Fiskehamnen i Simrishamn, Skåne. Denna sida: Kalmar (överst till vänster) med Ölandsbron i fonden. Överst: Fiskare i Björkholmen i Karlskrona och (till vänster) typiska fiskarbostäder från samma ställe. Till höger: Sveriges högsta fyr, Långe Jan i Ottenby på Öland, byggd på 1700-talet. Motsatt sida: Stortorget i Karlskrona med Karl XI:s staty.

Skåne, Sweden's southernmost province, was a part of Denmark until the 17th century. It is rich in historical monuments. Glimmingehus Castle, near Valby (right) is typical of the early fortified residences. The mediaeval church at Hagleholm (above) resembles many in Denmark. Skåne, sometimes called "the granary of Sweden" has extensive arable lands as illustrated (previous pages) by Abbekås (right) and Anderslöv (left), with its representative field of sugar beet.

Sveriges sydligaste landskap, Skåne, var ända fram till 1600-talet en del av Danmark. Skåne är rikt på historiska sevärdheter. Glimmingehus (till höger) nära Valby är ett typiskt exempel på en medeltida borg. Medeltidskyrkan i Hagleholm (ovan) finner sin motsvarighet på många håll i Danmark. Skåne, som ofta kallas för "Sveriges kornbod", har vidsträckta odlingsbara marker, t ex i Abbekås (föregående sida höger) och Anderslöv med sina sockerbetsfält (föregående sida vänster).

Left: Ystad, with its mediaeval church and picturesque streets, is one of Skåne's tourist attractions. Top: the castle mill in Slottsparken, Malmö, with (top right) the fishing and yachting harbour of Smygehamn. The countryside of Skåne (above, right and overleaf) has a parkland appearance, with intensively cropped fields and groves and avenues of deciduous trees.

Till vänster: Ystad, med sin medeltidskyrka och sina pittoreska gator, är en av Skånes många turistmål. Överst: Slottsmöllan i Malmö Slottspark. Överst till höger: Fiske- och småbåtshamnen i Smygehamn. Skånes landsbygd (ovan till höger och nästa uppslag) liknar ett enormt parklandskap med den odlade marken i olika färgsammansättningar och de gröna alléerna och lundarna.

The history of Malmö, third city of Sweden, is recalled in its museum (top left), St Peter's Church (top), carefully preserved old neighbourhoods (left) and leafy parkland (above). Stortorget (opposite) is at the centre. Malmö is on the Öresund with (overleaf) shipyards and lively boat links with Copenhagen (left), and a major railway terminus (right).

Malmö, Sveriges tredje största stad. Stadens historia lever vidare genom Malmö museum (överst till vänster), Sankt Petri kyrka (överst till höger), de väl bevarade gamla delarna av staden (till vänster) och dess lummiga parker (ovan). Stortorget (motsatt sida) är stadens centrum. Läget vid Öresund har gjort Malmö till centrum för båttrafiken med Köpenhamn (till vänster nästa uppslag) och har också skapat en varvsindustri. Till höger: Malmö centralstation.

Västergötland, in west central Sweden, has the splendid Renaissance castle of Läckö (right and left). Nearby is the old settlement of Ulricehamn, with tourist huts (bottom left) and Ullsundet (bottom), an inlet of Sweden's largest lake, Vänern. Below: a typical Västergötland windmill.

I Västergötland finns ett strålande exempel på renässansens byggnadskonst – Läckö slott (höger och vänster). Nära Läckö ligger den gamla staden Ulricehamn med turiststugor (nederst till vänster) och Ullsundet (nederst till höger) – ett av Vänerns inlopp. Nedan: En typisk västgötsk väderkvarn.

Gothenburg, on the west coast, is Sweden's second city and principal container port. The port and shipbuilding yards are concentrated along the estuary of the Göta river. Left: four scenes viewed from the extensive port area. Opposite: some of the thousands of yachts that crowd the harbour.

Göteborg, på västkusten, är Sveriges näst största stad och har landets viktigaste hamn. Hamnen och varven är belägna vid Göta älvs mynning. Till vänster: fyra vyer över den vidsträckta hamnen. Motsatt sida: Några av de tusentals fritidsbåtar som fyller hamnen.

Above: Gothenburg's canals, relics of an earlier fortification system, today carry tourist traffic. Left: Norra Hamngatan's stately classical buildings contrast with the central station (above). Korsgatan (opposite) is part of the shopping precinct. Overleaf: tramways are still maintained in Norrköping, Östergötland, (left) and the 17th century Kronhus (right) is put to new use.

Göteborgs kanaler (överst och till vänster) är rester av ett gammalt transportsystem, som idag trafikeras av sightseeingbåtar. Till vänster: Norra Hamngatans ståndsmässiga byggnader är en skarp kontrast mot centralstationen (ovan). Korsgatan (motsatt sida) är en av Göteborgs många shoppinggator. Nästa uppslag: I Göteborg och Norrköping används fortfarande spårvagnar (till vänster) som allmänt kommunikationsmedel. Kronhuset (till höger), som uppfördes som arsenal på 1600-talet fyller numera en helt annan funktion, nämligen bl a som representations- och festlokal.

82

Gothenburg is very much a cultural centre, with attractive parks (below), bridges (right), statuary such as Carl Milles' *Poseidon* (bottom right), art galleries and theatres. In the city centre are the Trädgårdsföreningen (opposite) and the handsome Gustav Adolfs torg (overleaf, left). The Maritime Museum (bottom) also has museum ships (overleaf, right).

Göteborg är i högsta grad ett kulturellt centrum. Här finns vackra parker (nedan), broar (till höger), skulpturer som Poseidon av Carl Milles (nederst till höger) samt konstgallerier och teatrar. I Göteborg ligger också det vackra Gustav Adolfs torg (nästa uppslag vänster sida). Sjöfartsmuséet (nederst) har också ett fartygsmuseum (nästa uppslag höger sida).

The rocky, islanded, windswept coast of Bohuslän province was once the principal base of Sweden's fishing industry. Above: Smögen Harbour, Sotenäset, with its fishing huts; (right) Dragsmark Harbour, Näset. Overleaf: new and old rub shoulders; Tjörnbron Bridge, Bohuslän (right) contrasts with a haymaking scene near Brikstad in Smålands province.

Den bergiga, örika och vindpinade Bohuslänskusten har varit grunden för Sveriges fiskindustri. Ovan: Smögens hamn med Sotenäsets fiskestugor. Till höger: Dragsmarks hamn, Näset. Nästa uppslag: Ett möte mellan nytt och gammalt; Tjörnbron i Bohuslän (till vänster) och höbärgning nära Brikstad i Småland.

Bohuslän coastlands were once regarded as one of the most poverty-stricken parts of Sweden. Today, they are among the country's favourite summer playgrounds. Above: Fiskebäckskil Harbour. Right and overleaf, left: Mollösund Harbour, Orust Island. Overleaf: Kyrkesund Harbour, Tjörn Island, with its fishing huts. The bright summer idyll contrasts with the storm-swept winters.

Bohusläns kusttrakter betraktades en gång som en av de fattigaste delarna av Sverige. Idag är Bohuslän ett av de mera populära sommarturistmålen i Sverige. Ovan: Fiskebäckskils hamn. Till höger och nästa uppslag till vänster: Mollösunds hamn på Orust. Nästa uppslag till höger: Kyrkesunds hamn på Tjörn med sina fiskestugor. Sommaridyllen är närmast märklig jämfört med Bohusläns stormiga, isiga vintrar.

Exposed Kungshamn Harbour, Bohuslän (opposite) contrasts with sheltered Langöberget (top) near Fjällbacka. Södra Dalsland province has the fine old Bolstad church (left) and Trollhättan locks (above) which bypass Trollhättan Falls (overleaf, left). Carlsten's castle, Marstrand (overleaf, right) guards the approach to Gothenburg.

Hamnen i Kungshamn (motsatt sida) som är öppen mot havet kontrasterar mot det skyddade Langöberget (överst) nära Fjällbacka. I Södra Dalsland ligger Bolstad med sin vackra kyrka (till vänster). Trollhättekanalen i Älvsborgs län (ovan) leder båttrafiken förbi Trollhättefallen (nästa uppslag vänster sida). Carlstens fästning i Marstrand (nästa uppslag till höger) vaktar inloppet till Göteborg.

Seasonal contrasts in Värmland. Winter scenes from Skutberget near Karlstad, with cross-country skiing and (top right) Lake Vänern's snow-clad shores. Overleaf: the old stone bridge at Karlstad (left), and Rottneros Hall (right), an aristocratic manor from the classical period.

Årstidernas skiftningar i Värmland. Vinterbilder från Skutberget nära Karlstad, längdåkning på skidor och (längst upp till höger) Vänerns snötäckta stränder. Nästa uppslag: Den gamla stenbron i Karlstad (till vänster) och den gamla vackra Rottneros Herrgård (till höger).

Värmland, province of ironmasters and timbermen, settles down to winter. Left: late afternoon in Borgeby, near Sunne. Below: the restaurant at Skutberget. Bottom left: a country home at Skutberget. Bottom: beside Lake Valsjön, in neighbouring Dalarna. Right: a home in Brågstorp. Overleaf: snow-covered pine and spruce woods near Karlstad.

Värmland, järnet och skogens land, slår sig till ro inför vintern. Till vänster: En stämningsfull eftermiddag i Borgeby nära Sunne. Nedan: Restaurangen på Skutberget i vinterskrud. Nederst till vänster: Ett charmigt bostadshus vid Skutberget. Nederst: En pittoresk stuga vid Valsjön nära Malung i grannlandskapet Dalarna. Till höger: Ett vackert inbäddat hus i Brågstorp, Värmland. Nästa uppslag: Värmländsk skidterräng – när den är som bäst.

Lake Siljan, in the province of Dalarna, is central to one of the most attractive parts of Sweden. The Swedish Tourist Authority already sensed this at the turn of the century, while artists were not slow to establish their colonies around its shores. Midsummer, with picnics and folk dancing amid the lush limestone flora, is the climax of the year. Sunday morning churchgoers (left and far right) take to long church boats decorated with birch twigs and make their way to Rättvik church (bottom right). National costumes are fetched out for the occasion, while fiddlers accompany the proceedings. Overleaf, left: dusk after a storm on Lake Siljan, seen from Vidablick Tower at Rättvik. Overleaf right: the castle at Örebro, a market and manufacturing town in Närke province, central Sweden.

Siljan i Dalarna ligger i en av de mest natursköna delarna av Sverige. Redan i början av seklet konstaterade den svenska turist-näringen detta, när konstnärskolonier började etableras runt Siljans stränder. Midsommar med picknick och folkdans i den yppiga kalkstens-floran är årets höjdpunkt. På söndagsmorgonen åker gudstjänstbesökarna till Rättviks kyrka (längst ned till höger) med de långa kyrkbåtarna (vänster och längst till höger) som är smyckade med björkkvistar dagen till ära. För att markera högtiden bärs folkdräkt och spelmän följer med. Nästa uppslag till vänster: Skymning över Siljan efter en storm, sett från Vidablick i Rättvik. Nästa uppslag till höger: Slottet i Örebro – handels- och industristad i Närke – i hjärtat av Sverige.

The province of Jämtland, in north central Sweden, lies adjacent to Norway, and its forested country (bottom right) is thinly peopled. Below: skiers come back to their cabins (right). In midwinter, days are short; (opposite) the blue twilight of the late afternoon gives a theatrical appearance to the church at Åre.

Jämtland som gränsar till Norge är ett glest befolkat skogslandskap (nederst till höger). Nedan: Skidåkare kommer hem till sina stugor (höger). Under vintern är dagarna korta, i det blå skymningsljuset blir Åre kyrka en oförglömlig syn (motsatt sida).

A century ago, winter was the season when man and beast stayed indoors to conserve energy. Today man has learned to appreciate all that a winter landscape offers. Åreskutan, above Åre in Jämtland (these pages) is a favourite winter playground. Overleaf, left: the scene around Åreskutan summit café.

För hundra år sedan var vintern den tid då både människor och vilddjur höll sig i sina boningar och samlade krafter. Idag har människan lärt sig att uppskatta allt ett vinterlandskap erbjuder. Åre i Jämtland (dessa sidor) är Sveriges populäraste vintersportort. Nästa uppslag till vänster: Folkliv vid toppstugan. Tolkning är bekvämt och roligt (till höger).

Above: skiers in Åreskutan, their equipment reminding us that Scandinavia is the home of the ski. Top right and opposite: hang-gliding is a new sport to find its way into Åre, the ski slopes of which provide a backdrop.

Kaffepaus i solskenet på Åreskutan. Överst till höger och motsatt sida: Drakflygning, ännu en sport som letat sig fram till Åre. I bakgrunden: En del av Åres pister.

Top: most of Storsjön, one of Sweden's largest lakes, freezes in winter. The quay (left) is closed; boats (top left) are ice-bound; the ferry (above) sometimes fights a losing battle. Storsjön is fed by many tributaries such as the Böle (opposite).

Överst: Så gott som hela Storsjön, en av Sveriges största sjöar, fryser igen på vintern. Kajen är stängd och båtarna är fastfrusna i isen (överst till vänster). Färjan (ovan) gör ibland ett misslyckat försök att komma loss. Storsjön får sitt vatten från många flöden, bl a Böle (motsatt sida).

Settlements around Åre: (top left) the Lapp chapel, with its wrought iron memorials at Handöl, west of Åre; (left) the stone-built church at Åre; (top right) a frame house at Mörsil with fretwork balcony and conservatory and (above) a log hut near Hammarnäs. Opposite: typical frame houses, colour-washed and tile-roofed, at Mörsil.

Exempel på olika, äldre byggnadsstilar i Åretrakten: Det välbevarade Lappkapellet (överst till vänster) i Handöl väster om Åre med korsen av smidesjärn. Till vänster: Den pittoreska stenkyrkan i Åre. Överst till höger: Trähus i Mörsil med finsnickrad balkong och glasveranda samt en timrad stuga nära Hammarnäs (ovan). Motsatt sida: Typiska trähus i bleka färger med tegeltak i Mörsil.

Severe winters in the fields of Jämtland create ice fantasies out of waterfalls such as Tännforsen (left) near Åre. Below: a typical, red-painted farmhouse and (right) wooden barn near Sveg, with tractor and sled tracks from timber haulage. Bottom left: the cosy interior of Handöls Lapp chapel. Bottom right: the 19th century white wooden church at Duved.

Stränga vintrar i Jämtlands fjällvärld skaper fantasifulla isfigurer i vattenfallen, som här i Tännforsen (till vänster) i närheten av Åre. Nedan: En bondgård och lada nära Sveg målade i den typiska svenska rödfärgen och (till höger) traktor och slädspår från timmerbärgningen. Nederst till vänster: Den behagliga interiören i Handöls Lappkapell. Nederst till höger: Den vackra vita träkyrkan i Duved byggd på 1800-talet.

Southern Lappland embraces extensive high fields along the Norwegian border. Jokkmokk, with its river (opposite) and Lapp museum (below and bottom right), is a focal point. The horse-drawn sled (right) is a familiar sight. So, too, are plain-faced churches such as that of Risbäck (bottom). Overleaf: southern Lappland's contrasting vistas: the bogland tundra of Stekenjokk (left) and the birch scrub of Vilhelmina.

Södra Lappland omsluter vidsträckta och höga fjäll längs norska gränsen. Jokkmokk med älven (motsatt sida) och Lappmuséet (nedan och längst ned till höger) är centralort. Slädar (till höger) som dras av häst är en vanlig syn. Det är också de enkla träkyrkorna t ex den i Risbäck (nederst). Nästa uppslag: Skiftande vyer i södra Lappland; Stekenjokks myrmarker och dvärgbjörk i Vilhelmina.

The simplicity of the Lapp church at Jokkmokk (pictures left) contrasts, both inside and out, with the ornate confection of the main Lutheran church (below, bottom and opposite). Overleaf: southern Lappland's Kultsjön is rapids all the way on midsummer night (left) and midsummer day (right).

Det enkla Lappkapellet i Jokkmokk (vänstra bilderna) skiljer sig markant, både på in- och utsidan, från den rikt utsmyckade Lutherska kyrkan (nedan, nederst och motsatt sida). Nästa uppslag: Kultsjön i södra Lappland är mycket rik på forsar. Här fotograferad på midsommarafton (till vänster) och midsommardagen (till höger).

Previous pages: sea systems, such as Kultsjön (left), descending from the Norwegian border mountains, help to provide water for the energy of remote power stations such as Stekenjokk, pylons from which (right) march across miles of inhospitable terrain. These pages: Kiruna and its celebrated iron mountains (above) lie north of the Arctic Circle in Lappland province, while in Lappland there are immense national parks, such as that at Abisko, with its waterfall (right).

Föregående sidor: Sjösystem som Kultsjön (till vänster), med sin källa bland fjällen i de norska gränstrakterna, förser avlägset belägna kraftstationer, som Stekenjokk, med energi. Kraftledningarna (till höger) går genom mil av oländig terräng. Dessa sidor: Kiruna – för inte så länge sedan världens största stad i omkrets – och dess berömda järngruvor (ovan) ligger i Lappland norr om Polcirkeln. I Lappland finns också ofantliga nationalparker som t ex Abisko med bl a vattenfall (till höger).

On the frontiers of forested Lappland (right), in the pinewoods of Kvikkjokk (top), in the Sarek National Park (left) and around Borgafjäll (above), both domesticated and wild reindeer graze in winter, leaving in the summer for the higher tundra (overleaf left) as at Kebnekaise. Overleaf right: a Lapp family at Kebnekaise in traditional costume in front of a sod-roofed dwelling.

I gränstrakterna av Lapplands skogar (till höger), i Kvikkjokks tallskogar (överst), i Sareks nationalpark (till vänster) och kring Borgafjäll betar både tam och vild ren på vintern. När sommaren kommer ger de sig av mot den högre belägna tundran, t ex Kebnekaise (nästa uppslag vänster). En lappfamilj klädda i den traditionella lappdräkten poserar utanför sin kåta vid Kebnekaise (till höger).